КНИЖКУ НАМАЛЮВАЛИ:

КАТЕРИНА ШТАНКО

Обкладинка
«Кобиляча голова»;
«Про бідного парубка й царівну»;
«Чарівне горнятко»;
«Котигорошко»

КОСТЬ ЛАВРО

«Зайчикова кашка»;
«Коза-дереза»;
«Торба з королем»;
«Як лисичка лева одурила»;
«Калиточка»

ВЛАДИСЛАВ ЄРКО

«Про Невмираку»

ІВЕТА КЛЮЧКОВСЬКА

«Петро і меч-гартованець»

ВІКТОРІЯ ПАЛЬЧУН

«Колобок»;
«Як різник цвірінькав»;
«Заєць та їжак»;
«Цап та баран»;
«Легінь, що повернув людям сонце, місяць і зорі»;
«Іван-Побиван»;
«Летючий корабель»;
«Як Іван царя перебрехав»;
«Князівна-жаба»;
«Казка про липку і зажерливу бабу»;
«Золотий червінець»;
«Іван Голик та його брат»;
«Хлопчикова молитва»

ІНОКЕНТІЙ КОРШУНОВ

«Півник і курочка»;
«Мудра дівчина»;
«Рак-неборак та його вірна дружина»

Для малят від 2 до 102

100 КАЗОК. 2-й том
Найкращі українські народні казки
з ілюстраціями провідних українських художників.
За редакцією Івана Малковича

Видання четверте

Комп'ютерні чари: Марія Осипчук

Адреса видавництва: Україна, 01004, Київ, вул. Басейна, 1/2,
тел: (044) 234 11 31. Поліграфія: «Новий друк».

Застрибуй погратися на наш сайт:
www.ababahalamaha.com.ua

ISBN 978-966-7047-74-0

100 КАЗОК

найкращі українські народні казки з ілюстраціями провідних українських художників

За редакцією

Івана Малковича

А-БА-БА-ГА-ЛА-МА-ГА
дитяче видавництво

Від упорядника

То ось вам, любі мої дітки, і другий том «100 казок». А з ним і новина: за три роки ми сподіваємося підготувати ще й третій том. І вже аж тоді це таки й справді буде СТО КАЗОК. А тепер уявіть, що всі ці казки ми подали в одній книжці — хто б із малят її підняв? — хіба якесь ґулліверенятко. Отже, всі наші 100 КАЗОК прийдуть до вас у трьох томах. Пам'ятаєте — перша книжка «100 казок» починалася з «Курочки ряби», а закінчувалася «Яйцем-райцем», і всі прикінцеві малюнки теж були у формі яйця. Другий том починається казкою «Колобок» («Зайчикова кашка» — то, радше, такий собі «казковий віршик»), а закінчується «Котигорошком», тобто круглим починається і закінчується. А отже, й не дивно, що прикінцеві малюнки тепер мають форму кола. Далі буде ще цікавіше. Тож до зустрічі у третьому томі! Передмовці кінець, та навіть той, хто її не прочитав, той теж молодець!

Зайчикова кашка

Розкажу вам, діти, казку:
приніс зайчик дровець в'язку.
Поколов їх
дрібненько,
зварив кашку
швиденько.
Кашка була
солодка,
моя казка
коротка.
А хто хоче
довшу казку,
той з'їдає
усю кашку!

КОЛОБОК

Були собі дід і баба, та й дожились уже до того, що й хліба нема. Дід і просить:

— Бабусю! Спекла б ти колобок!

— Та як його спекти, коли нема з чого?

— От, бабусю, піди в комору та назмітай у засіку борошенця, то й буде колобок.

Послухалась баба, пішла в комору, назмітала у засіку борошенця; витопила в печі, замісила гарненько, спекла колобок хутенько та й поклала на вікні, щоб вистигав.

А колобок лежав, лежав на вікні, а тоді — скік з вікна на призьбу, а з призьби на землю — у двір, а з двору за ворота та й побіг-покотився.

Біжить та й біжить, коли це назустріч йому зайчик.

— Колобок, колобок, я тебе з'їм!

— Не їж мене, зайчику-побігайчику, я тобі пісеньку заспіваю.

— Ану заспівай!

От колобок і співає:

Я по за́сіку ме́тений,
з борошéнця спéчений, —
я від баби втік, я від діда втік,
то й від тебе утечу!

Та й побіг знову. Біжить та й біжить, перестріває його вовк:
— Колобок, колобок, я тебе з'їм!
— Не їж мене, вовчику-братику, я тобі пісеньку заспіваю.
— Ану заспівай!

Я по за́сіку ме́тений,
з бороше́нця спе́чений, —
я від баби втік, я від діда втік,
я від зайця втік, то й від тебе утечу!

Та й побіг... Аж іде ведмідь.
— Колобок, колобок, я тебе з'їм!
— Не їж мене, ведмедику, я тобі пісеньку заспіваю.
— Ану заспівай!

Я по засіку метений,
з борошенця спечений, —
я від баби втік, я від діда втік,
я від зайця втік, я від вовка втік,
то й від тебе утечу!

Та й побіг. Біжить та й біжить, стрічається з лисичкою:
— Колобок, колобок, я тебе з'їм!
— Не їж мене, лисичко-сестричко, я тобі пісеньку заспіваю.
— Ану заспівай!

Я по засіку метений,
з борошенця спечений, —
я від баби втік, я від діда втік,
я від зайця втік, я від вовка втік,
від ведмедя втік, то й від тебе утечу!

— Ну й пісня ж ловка! — каже лисичка. — От тільки я недочуваю трохи. Заспівай-бо ще раз, але сідай до мене на язик, щоб чутніше було.

Колобок скочив їй на язик та й почав співати:

Я по засіку ме...

А лисичка — гам його! — та й з'їла! Щоб не був таким хвальком!..
Ось і ти не будь хвальком, щоб не трапилось з тобою те, що з колобком.

Півник і курочка

Жили собі півник і курочка.
Якось пішли вони гребтися на сміттячко.
От півник дзьобнув камінчик
і вдавився.
Заплакала курочка
та й біжить до своєї сестрички:
— Уже мого півника нема!
— А що з твоїм півником? — питає сестричка.
— Камінцем подавився!
Каже сестричка:
— Не плач, а краще біжи до моря.
Попросиш у нього води,
даш її півникові —
він і оживе.
Курочка побігла до моря:
— Море, море, дай мені води!
— Нащо тобі вода? — питає море.
— Півникові!
— А нащо півникові?
— Бо він подавився!
Море й каже:
— Іди принеси мені молока, тоді я дам тобі води.
Курочка побігла до корівки:
— Корівко, корівко, дай мені молока!
— Нащо тобі молоко? — питає корівка.
— Мореві.
— А нащо мореві?
— Щоб море дало води.
— А нащо вода?
— Бо півник подавився!
Каже корівка:
— Іди принеси мені сіна, а я дам тобі молока.
Курочка побігла до косариків:
— Косарики, косарики! Дайте мені трохи сіна!

— Нащо тобі сіно?
— Корові.
— А нащо корові?
— Щоб дала молока.
— А нащо молоко?
— Мореві.
— А нащо мореві?
— Щоб море дало води.
— А нащо вода?
— Бо півник подавився!
Косарики кажуть:
— Іди принеси нам сальця,
а ми дамо тобі сіна.
Побігла курочка до веприка:
— Веприку, веприку, дай мені трохи сальця!
— А нащо тобі сальце? — питає веприк.
— Косарикам.
— А нащо косарикам?
— Щоб дали сіна.
— А нащо сіно?
— Корові.
— А нащо корові?
— Щоб дала молока.
— А нащо молоко?
— Мореві.
— А нащо мореві?
— Щоб море дало води.
— А нащо вода?
— Бо півник подавився!
Тоді веприк дав сальця,
і курочка понесла його косарикам.
Косарики дали сіна — курочка понесла корівці.
Корівка дала молока — курочка понесла мореві.
Море дало води — курочка понесла півникові.
А півник напився та й запіяв:
— Ку-ку-рі-ку-у-у-у!

Кобиляча голова

Сказала б казки — не вмію, сказала б приказки — не смію, сказала б небилиці — та багато плутаниці. Ну, казки, хоч і не вміючи, а треба сказати...

Був собі дід та баба. От і в діда дочка, і в баби дочка. Пускає їх баба на досвітки прясти. Дідова дочка пряде, а бабина все нічого не робить, а як прийдуть додому, то ще й обмовить ту.

От баба й зненавиділа дідову дочку. Каже до діда:

— Відведи свою дочку: де хоч — там її й подінь, але щоб вона в нас дурно хліба не їла!

То дід — нічого робити — і повів. Веде та й веде, та завів її в ліс — аж там стоїть хатка пуста. Він її в ту хатку увів та й каже:

— Сиди, доню, тут, а я піду дровець нарубаю.

Та й пішов... Прив'язав колодочку до віконечка, а сам подався додому.

То оце вітер повійне, а колодочка — стук-стук, стук-стук! А дівчина:

«Це ж мій батечко дрівця рубає!»

Сидить вона собі, шиє та й не вийде подивитися, що воно стукає.

Аж уже стала й ніч. Коли це стукотить-гримотить — кобиляча голова летить.

— Дівко, дівко, відчини!

Вона й відчинила.

— Дівко, дівко, пересади через поріг!

Вона й пересадила.

— Дівко, дівко, дай вечеряти!

Вона й вечеряти дала.

— Дівко, дівко, постели.

Вона й постелила.

— Дівко, дівко, поклади мене спати!

Вона й поклала.

— Дівко, дівко, заглянь мені в ліве вухо, а в праве виглянь!

Вона й заглянула, а там — і двори, й будинки великі, і всяка всячина. От як виглянула в праве вухо — та така стала гарна!

Невдовзі вийшла вона заміж за такого ж гарного парубка, і живуть собі добре.

Діждали свята, вона й каже до свого чоловіка:

— Поїдьмо та й поїдьмо до мого батечка в гостину.

Поїхали.

Приїхали, а мачуха аж перелякалась, як побачила, що вона така гарна стала. Каже дідові:

— Тепер же поведи й мою дочку, куди свою водив!

Він узяв та й повів.

Веде та й веде, завів її в ліс, а в лісі — хатка пуста стоїть. Завів її в ту хатку та й каже:

— Отут тобі, дочко, й жити! — Та й пішов.

А вона досиділа аж до вечора, коли це стукотить-грюкотить — кобиляча голова летить.

— Дівко, дівко, відчини!

А вона:

— Не велика пані — сама відчиниш.

Вона й одчинила.

— Дівко, дівко, пересади через поріг.

— Не велика пані — сама перелізеш!

Вона й перелізла.

— Дівко, дівко, дай вечеряти.

— Не велика пані — сама візьмеш!

Вона й повечеряла.

— Дівко, дівко, постели спати.

— Не велика пані — сама постелиш.

Вона й послала.

— Дівко, дівко, заглянь мені в ліве вухо, а в праве виглянь.

Вона й заглянула. А там — самий ліс: такий густий та темний, що й оком не проглянеш.

Тут де не взявся вовк, ухопив її — та й поніс не знати куди...

А в діда був собачка маленький. То оце він лежить на призьбі та:

— Дзяв-дзяв! Дзяв-дзяв! Дідова дочка, як ясочка, а бабиної дочки і слуху не чуть!

То баба:

— А, капосний собака, як дражниться! — Піде, прожене собачку з призьби, ще й поб'є.

Тільки баба в хату, а собачка знову на призьбу та:

— Дзяв-дзяв! Дзяв-дзяв! Дідова дочка, як ясочка, а бабиної дочки і слуху не чуть!

От баба й задумалась. Каже дідові:

— Піди, діду, довідайся, що воно за знак, що твоя дочка приїздила в гості, а моєї і слуху не чути.

Дід і пішов. Приходить — аж там тільки хатка пуста в лісі стоїть. А серед хатки — стілець, моїй казці — кінець.

ЗАЄЦЬ ТА ЇЖАК

Був собі їжак. Якось вийшов він раненько з свого дому подивитися на білий світ. Вийшов та й каже сам до себе:

— А піду лишень у поле — подивлюся, як там моя морква та бурячки.

Іде собі, йде, пісеньку мугикає. Коли це виходить з-за куща заєць — він у полі якраз оглядав свою капусту, чи велика виросла.

— О, — каже їжак, — хто прудкий, то вже й на ниві!

— А ти, — відповідає йому заєць, — усе кривуляєш, криволапику! І батько твій криволапик, і дід криволапиком був. Такий увесь твій рід, і ти такий!

Їжак дивом здивувався, що на своє добре слово дістав таку нечемну одмову, що й батька, і діда його лихим словом пом'янули. От він зайцеві й каже:

— Ти, приятелю, береш мене на сміх? А хочеш зі мною наввипередки? Побачимо, хто кого пережене!

Заєць як зарегоче:

— Ти? Наввипередки?! Зі мною?!!

А їжак спокійно:

— А так, з тобою.

— Ну, добре, — засміявся заєць. — Давай бігти.

— Ні, — каже їжак, — ще ні. Я піду додому, скажу жінці, нехай знає, куди я пішов.

А заєць і тому радий, бо був голодний, то й подумав собі: «І це мені добре: попоїм капусти — краще бігтиму».

Та й пішли кожен до своєї хати.

Приходить їжак додому та й каже до жінки:

— Знаєш, жінко, який мені клопіт?

— Який, чоловіче?

— Мушу з зайцем наввипередки бігти.

Та й розказує все, як було.

— То це ти берешся перегнати зайця? — аж зойкнула їжачиха.

— Мовчи, жінко, — каже їжак, — якось воно буде. — Збирайся лишень та ходи зо мною.

От ідуть вони, а їжак і навчає жінку:

— Як прийдемо на ниву, ти станеш з цього краю в борозні та й стій собі. Як добіжить заєць до тебе, ти скажеш: «Я вже тут!» А прибіжить він на той край до мене, то там уже я йому гукну: «А я вже тут!»

— Добре! — каже їжачиха.

Приходить їжак до зайця на той кінець ниви та й каже до нього:

— Ну, я вже готовий!

— То біжімо! — сміється заєць.

От став заєць в одну борозну, їжак — у другу:

— Раз, два, три! — Побігли.

Заєць помчав, як вітер, а їжак пробіг два кроки та й спинився.

Прибігає заєць у той кінець ниви, а там їжачиха:

— Я вже тут!

— Ов, — каже заєць, — а як це так? Ану, біжімо ще раз!

Побіг заєць.

Прибігає у другий кінець ниви, а їжак підвівся на двох лапках та й гукає:

— Ого-го! А я вже давно тут!

— Ти дивися! — дивується заєць. — Ану, ще раз біжім!

Побігли. Прибігає він на той край, а їжак знову вже там (а то ж була, як ви знаєте, їжачиха!). Побіг ще раз — а там їжак:

— А я вже тут!

Знов кинувся заєць бігти. Так бігав він дев'яносто дев'ять разів, а за сотим разом упав посеред ниви і підвестись не може — так натомився, сердешний.

— Ото ніколи не треба сміятися з слабшого, — сказав тоді їжак та й пішов з їжачихою додому. Та й казці кінець. А хто втямив — молодець.

Коза-дереза

Були собі дід та баба. Поїхав дід у ярмарок та й купив собі козу. Привіз її додому, а рано, на другий день, посилає старшого сина ту козу пасти.

Пас, пас хлопець її аж до вечора та й жене додому. Доганяє до воріт, а дід став на воротях у червоних чоботях та й питається:

— Кізонько моя люба, кізонько моя мила! Чи ти пила, чи ти їла?

— Ні, дідусю, я й не пила, я й не їла: тільки бігла через місточок та вхопила кленовий листочок, тільки бігла через гребельку та вхопила водиці крапельку, — тільки пила, тільки й їла!

От дід розсердився на сина, що він погано худобу доглядає, та й прогнав його.

На другий день посилає другого сина — меншого. Пас, пас хлопець козу аж до вечора та й жене додому. Доганяє до воріт, а дід став на воротях у червоних чоботях та й питається:

— Кізонько моя люба, кізонько моя мила! Чи ти пила, чи ти їла?

— Ні, дідусю, я й не пила, я й не їла: тільки бігла через місточок та вхопила кленовий листочок, тільки бігла через гребельку та вхопила водиці крапельку, — тільки пила, тільки й їла!

От дід і того сина прогнав.

На третій день вже посилає жінку. От погнала вона ту козу, пасла її увесь день, а ввечері стала гнати до двору.

А дід уже стоїть на воротях у червоних чоботях та й питається:

— Кізонько моя люба, кізонько моя мила! Чи ти пила, чи ти їла?

— Ні, дідусю, я й не пила, я й не їла: тільки бігла через місточок та вхопила кленовий листочок, тільки бігла через гребельку та вхопила водиці крапельку, — тільки пила, тільки й їла!

От дід іще дужче розсердився: прогнав і бабу.

На четвертий день погнав він уже сам козу. Пас її увесь день, а ввечері тільки вигнав козу на дорогу, а сам навпростець пішов.

Став на воротях у червоних чоботях та й питається:

— Кізонько моя люба, кізонько моя мила! Чи ти пила, чи ти їла?

— Ні, дідусю, я й не пила, я й не їла: тільки бігла через місточок та вхопила кленовий листочок, тільки бігла через гребельку та вхопила водиці крапельку, — тільки пила, тільки й їла!

Отоді вже дід так розсердився, що взяв ножа й хотів козу різати, а вона вирвалася та й утекла в ліс.

А в лісі бачить — зайчикова хатка: коза туди вбігла та й заховалася на печі. От прибігає зайчик до своєї хатки, коли чує — хтось є в хатці...
Зайчик і питається:
— А хто, хто в моїй хатці?
А коза сидить на печі та й каже:

Я коза-дереза,
за три копи куплена,
півбока луплена.
Тупу-тупу ногами,
сколю тебе рогами!
Ніжками затопчу,
хвостиком замету, —
тут тобі й смерть!

Злякався зайчик, вибіг з хатки, сів під дубком та й плаче.
Коли йде ведмідь та й питається:
— А чого ти, зайчику-побігайчику, плачеш?
— Як же мені, ведмедику, не плакати, коли в моїй хатці звір страшний сидить?
А ведмідь:
— Ось я його вижену!
Побіг до хатки:
— А хто, хто в зайчиковій хатці?
А коза з печі:

Я коза-дереза,
за три копи куплена,
півбока луплена.
Тупу-тупу ногами,
сколю тебе рогами!
Ніжками затопчу,
хвостиком замету, —
тут тобі й смерть!

Ведмідь і злякався.
— Ні, — каже, — зайчику-побігайчику, не вижену — боюсь.
От зайчик знов сів під дубком та й плаче.
Коли йде вовк та й питається:
— А чого це ти, зайчику-побігайчику, плачеш?

— Як же мені, вовчику-братику, не плакати, коли в моїй хатці звір страшний сидить?

А вовк:

— Ось я його вижену!

— Де тобі його вигнати! Он і ведмідь гнав, та не вигнав.

— Отже, вижену!

Побіг вовк до хатки та й питається:

— А хто, хто в зайчиковій хатці?

А коза з печі:

Я коза-дереза,
за три копи куплена,
півбока луплена.
Тупу-тупу ногами,
сколю тебе рогами!
Ніжками затопчу,
хвостиком замету, —
тут тобі й смерть!

Вовк і злякався.

— Ні, — каже, — зайчику-побігайчику, не вижену — боюсь.

Зайчик знов сів під дубком та й плаче.

Коли біжить лисичка, побачила зайчика та й питається:

— А чого ти, зайчику-побігайчику, плачеш?

— Як же мені, лисичко-сестричко, не плакати, коли в моїй хатці звір страшний сидить?

А лисичка:

— От я його вижену!

— Де тобі, лисичко, його вигнати! Он і ведмідь гнав — не вигнав, і вовк гнав, та не вигнав, а то ти!

— Отже, вижену!

Побігла лисичка до хатки та й питається:

— А хто, хто в зайчиковій хатці?

А коза з печі:

Я коза-дереза,
за три копи куплена,
півбока луплена.

Тупу-тупу ногами,
сколю тебе рогами!
Ніжками затопчу,
хвостиком замету, —
тут тобі й смерть!

От лисичка теж злякалася.

— Ні, — каже, — зайчику-побігайчику, не вижену — боюсь.

Пішов зайчик, сів під дубком та й так плаче, так плаче!..

Коли це лізе рак-неборак та й питається:

— А чого ти, зайчику-побігайчику, плачеш?

— Як же мені не плакати, коли в моїй хатці звір страшний сидить?

А рак:

— Ось я його вижену!

— Де тобі його вигнати! Он ведмідь гнав, та не вигнав, і вовк гнав, та не вигнав, і лисиця гнала, та не вигнала, а то ти!

— Отже, вижену!

Лізе рак у хатку та й питається:

— А хто, хто в зайчиковій хатці?

А коза з печі:

Я коза-дереза,
за три копи куплена,
півбока луплена.
Тупу-тупу ногами,
сколю тебе рогами!
Ніжками затопчу,
хвостиком замету, —
тут тобі й смерть!

А рак усе лізе та й лізе, виліз на піч та:

А я рак-неборак,
Як ущипну́ — буде знак!

Та як ущипне козу клешнями — щип! щип! щип!.. Коза як замекає — ме-ке-ке-е-е! — та з печі, та з хатки — побігла, тільки й видно!

Зрадів зайчик, прийшов у хатку та так уже ракові дякує!

Та й став жити в своїй хатці.

Була собі в гаю хатка, а в тій хатці жила жінка з сином. Поля в них не було, бо кругом був гай густий, то хліб вони купували.

От та жінка раз і посилає свого сина:

— На тобі, — каже, — сину, ці гроші та піди купи хліба.

Узяв той син гроші та й пішов. Іде та й іде, коли дивиться — аж веде чоловік собаку.

— Здоров, дядьку!

— Здоров!

— Куди собаку ведеш?

— Веду, — каже, — в гай та вб'ю його там, бо вже старий став, ні до чого не годящий.

— Не вбивай його, чоловіче, продай краще мені! — каже хлопець.

— Добре, — каже, — купуй!

От віддав йому хлопець ті гроші, що на хліб, узяв собаку та й повів додому. Приходить, а мати й питає:

— А що, сину, купив хліба?

— Ні, мамо, не купив. Я йшов, коли дивлюсь — веде чоловік собаку вбивати, то я взяв та й купив.

Дала мати йому грошей та й послала знову по хліб.

Пішов він, коли дивиться — несе чоловік кота.

— Здоров, дядьку! Куди йдеш?

— Несу кота в гай, щоб там його і вбити, бо не можна через нього нічого в хаті вдержати: що б не залишив — усе потягне!

— Не вбивай його, чоловіче, краще мені продай!

— Добре, — каже, — купуй!

От хлопець ті гроші, що мати йому дала на хліб, віддав, узяв кота та й пішов додому. Приходить, а мати й питає:

— А де ж хліб?

— Та я й не купив!

— А де ж ти гроші дів? Може, ще яке лихо купив?

— Та купив, — каже. — Ніс чоловік кота в гай, щоб там його вбити, то мені шкода стало — я взяв та й купив.

— Що вже з тобою зробиш! — каже мати. — От на ж тобі ще грошей, та гляди вже — нічого не купуй: у хаті вже й окрайця хліба нема.

Пішов він. Іде та йде, коли дивиться — б'є чоловік гадюку.

— Нащо ти, — каже, — чоловіче, гадюку б'єш? Ти б краще мені її продав.

— Купи, — каже, — продам.

— Що ж тобі дати?

— Що даси, те й буде.

От віддав парубок йому всі гроші, той чоловік і пішов собі далі.

А гадюка й каже:

— Спасибі тобі, чоловіче добрий, що ти визволив мене від смерті. На́ тобі оцей перстень: як тобі чого треба буде, то перекинь його з однієї руки на другу — от до тебе зараз і прибіжать слуги. Що б ти їм не загадав — усе тобі зроблять.

Узяв він той перстень та й пішов додому. Підходить до хати, перекинув перстень з однієї руки на другу — набігло тих слуг такого, що страх!

— Щоб мені, — каже він до них, — був хліб!

Тут сказав, а тут уже й нанесли хліба...

Прийшов він до матері, каже:

— Ну, тепер, мамо, уже не будемо ходити хліба купувати: дала мені гадюка такий перстень, що як перекинути його з однієї руки на другу, то зараз прибіжать слуги: і що б я їм не загадав, — усе зроблять.

— За що ж вона тобі дала?

— За те, що я її від смерті врятував. Чоловік хотів її убити, а я в нього її купив за ті гроші, що ви дали на хліб.

От живуть вони так собі, і ті собачка та кіт з ними. І тільки-но парубкові чого схочеться — він зараз перекине перстень, слуги прибіжать і зроблять, що треба.

От схотілося йому женитися. Він і каже:

— Підіть, матінко, та висватайте за мене царівну.

Пішла вона до царівни, розказала, чого прийшла, а царівна й каже:

— Як пошиє мені твій син такі черевички, щоб на мою ногу якраз прийшлися, то піду за нього.

Вертається мати додому:

— Казала царівна, як ти пошиєш такі черевички, щоб на її ногу прийшлись, то піде за тебе.

— Добре, — каже, — пошию.

Увечері вийшов він у двір, перекинув перстень з руки на руку — зараз і назбігалося слуг. От він їм і каже:

— Щоб мені до ранку були черевички — золотом шиті, а сріблом підбиті, і щоб ті черевички якраз царівні на ногу прийшлися.

На другий день устає він — уже черевички готові стоять.

Взяла мати, понесла царівні, а та поміряла — якраз на її ногу. От вона й каже:

— Скажи твоєму синові, щоб він пошив мені за одну ніч сукню до шлюбу, і щоб та сукня була не довга й не коротка, не тісна й не широка — щоб саме на мене прийшлась.

Приходить мати додому:

— Казала царівна, щоб ти пошив їй через ніч сукню до шлюбу, і щоб та сукня була не довга й не коротка, не тісна й не широка — щоб саме на неї й прийшлася.

— Добре, — каже, — мамо, лягайте спати: я все зроблю.

От вийшов він у двір, перекинув перстень з руки на руку — зараз тих слуг найшло стільки, що страх!

— Щоб мені, — каже, — до ранку була сукня з такого краму, що світиться, як сонце, і щоб та сукня прийшлась на царівну.

— Добре, все зробимо, — кажуть.

На другий день устає він, підходить до столу, підняв хустку — так у хаті й засяяло, неначе сонце зійшло.

— Ось, мамо, на столі сукня лежить під хусткою — несіть царівні.

Взяла вона сукню та й понесла.

Приходить до царівни. Як відкрила ту сукню — так у покоях і засяяло все.

Надягла царівна її, стала перед дзеркалом, подивилась — аж підскочила, зраділа, що така гарна зробилася. Пройшла вона раз по світлиці, пройшла вдруге — просто як сонечко, так від неї і сяє.

— Ну, — каже, — жінко добра, нехай він мені ще зробить міст від мого палацу аж до тієї церкви, де ми будемо вінчатися. І щоб той міст був із срібла й золота. Як міст буде готовий, отоді вже й підемо до шлюбу.

Приходить мати додому: так і так, — каже.

— Добре, мамо, зроблю.

Вийшов парубок у двір, перекинув з руки на руку перстень — стільки слуг найшло, що й двір тісний став. Він і каже:

— Щоб мені до ранку був міст із срібла й золота від палацу царівниного аж до церкви — я там буду вінчатися, — і як туди буду з царівною їхати, то щоб з обох боків цвіли яблуньки, груші, вишні й черешні, а як назад вертатимусь, то щоб усе достигало.

— Добре, — кажуть, — до ранку все буде так, як звелено.

На другий день устає він, вийшов з хати, аж дивиться — стоїть міст, і садки молоденькі обабіч цвітуть. Вернувся він у хату:

— Ідіть, мамо, та скажіть царівні, що вже і міст готовий.

Пішла мати до царівни, а вона й каже:

— Я вже міст бачила, — дуже гарний міст. Скажи своєму синові, нехай приїздить вінчатися.

VIRTUTIS · GLORIA

От збудував собі парубок пишний палац, а на другий день їде вінчатися з царівною. Повінчалися вони, вертаються назад, а на мо́сті вже все достигає: і яблука, і груші, і вишні, й черешні, і всяка-всяка садовина, яка тільки є на світі…

Приїхали вони в той палац, відгуляли весілля та й живуть собі. І той собачка та котик з ними. Прожили вони там який час, от раз царівна й питає свого чоловіка:

— Скажи мені, серденько, як ти пошив мені черевики й сукню: ти ж із мене й змірка не брав? І як ти за одну ніч збудував такий міст — де ти набрав стільки золота й срібла?

— У мене, — каже, — є оцей перстень: як я його перекину з однієї руки на другу, то зараз назбігається до мене слуг повен двір. І що б я їм не загадав — усе зроблять. То вони зробили й черевички, й сукню, і міст збудували, і палац оцей, що ми живемо, — усе вони мені роблять.

От діждалася та царівна, поки він заснув добре, стихенька зняла з нього той перстень, перекинула з руки на руку та й загадує слугам:

— Щоб зараз тут були і коні, і ридван, — я поїду до свого палацу! А з цього палацу зробіть стовп такий, щоб тільки можна було моєму чоловікові стояти й лежати, і зараз перенесіть той стовп за море. Та глядіть, щоб його не збудили, щоб він уже у стовпі прокинувсь.

— Добре, — кажуть, — усе буде так, як звелено.

Вийшла вона, сіла в ридван та й поїхала. А палац ураз стовпом став, то його й потягли ті слуги через море.

Другого дня вранці прокидається царівни чоловік, аж нема ні жінки, ні палацу, ні персня — нічого нема; тільки стовп стоїть. Хотів вийти — дверей нема. Полапав одну стіну, полапав другу — не можна вийти; тільки віконце маленьке пущено.

От живе він, бідний, там — голодний, холодний, так би і вмер, і пропав, якби не собачка та кіт, бо й вони в тому стовпі зосталися і можна їм вилазити в те віконце.

От собачка побіжить у поле, вхопить із торби в якого женця шматок хліба та й принесе, а котик візьме в зуби, полізе до віконця та й віддасть йому.

Назбирали трохи хліба, от собачка й каже котові:

— А що, — каже, — є тепер у нашого хазяїна хліб, то ходім за море — може, якось добудемо перстень.

— Ходім! — каже кіт.

Пішли вони. Біжать та й біжать, прибігли до моря. Сів котик на спину собаці та й попливли. Довго пливли і таки добилися до берега. Там погрілися трохи на сонці, собачка й каже:

— Тепер же ходім до палацу, та хутесенько, щоб одна нога там, а друга тута.

Побігли.

Біжать та й біжать, біжать та й біжать. І не відпочивають, та все біжать. Перебігли ліс невеликий. Коли бачать — стоїть палац і кругом нього мур високий.

От собачка й каже котикові:

— Зоставайся ж ти отут під лісом, а я старший, то піду на довідки, чи не знайду якого способу добутись до палацу та викрасти персня.

Зостався той котик.

А собачка прибіг до палацу, аж дивиться — коло брами варта. Чує — старший каже до вояків:

— Пильнуйте ж мені гаразд, щоб, бува, який ворог не добувся.

— Не турбуйтеся, — кажуть, — у нас ані птиця не залетить, ані миша не пролізе.

От походив собачка сюди-туди мід муром — та з тим і вертає до котика. Прийшов, сів та й журиться.

— Що, — каже, — коли там мур кругом превисоченний, а до брами варту приставлено, та таку, що ані птиця не залетить, ані миша не пролізе.

Каже котик:

— Тепер ти зоставайся, а я піду до царівни.

Та й побіг.

Прибігає до палацу — стоїть варта під брамою і мур кругом високий. Він тоді зайшов з другого боку — та на дерево, що коло муру, та й у двір. Прибіг під вікно до царівни та й бігає.

Дивиться царівна — аж кіт ходить по двору. Вона взяла його й пустила в світлиці. Тиняється той котик по світлицях та все придивляється, де царівна перстень ховає...

Як доглядівся — діждався, що всі полягали спати, ухопив перстень та й побіг. Прибігає до моря, скочив собаці на спину, собака кинувсь у воду — попливли.

От перепливли вони море, скоро й берег, — собака й питає котика:

— А що, держиш персня?

Кіт мовчить, бо перстень у нього в роті.

А собака таки не покидає свого:

— Скажи, я тебе питаю, чи держиш персня? Бо я тебе в море скину, коли не скажеш.

Мовчить кіт, а собака так розсердивсь:

— Ну, не кажеш — оце ж кидаю!

Кіт злякався та:

— Держу-у-у!

А перстень — бульк у море!..

Мовчить тоді кіт, знову нічого не каже.

От перепливли через море, повиходили, — кіт і напав на собаку:

— Такий-сякий! Через тебе я, — каже, — персня впустив! Нащо ти мене допитував? Тепер лізь у море та й шукай! Як хочеш, а лізь!

Поліз собака, — бродив-бродив, бовтався-бовтався — нема. Почали вони вельми сваритися з котиком. А далі й кажуть:

— Будемо ходити понад морем та питати: може, хто знайдеться такий, що нам його дістане з моря.

Пішли вони понад морем. Кого зустрінуть, кого побачать, усе розпитують, чи може він дістати перстень з моря. Та ба — нікого такого не напитають.

А кіт і каже:

— Знаєш що? Ходім понад берегом та візьмемось до жаб та до раків.

— Добре, — каже собачка, — ходім!

Пішли берегом. Ото піймають жабу й питають:

— А що, винесеш нам з моря перстень? Винось, бо назад не пустимо.

— Винесу, — каже жаба. — Я знаю, де ваш перстень.

Вони пустять її, то вона собі й попливе, а про перстень ані гадки.

То жаби боялися їх, а то вже й перестали. Котра попадеться, то зараз і каже: «Винесу перстень». Вони її й пустять...

От ідуть вони ввечері понад морем, аж дивляться — жабеня скаче. Вони піймали його та й питають:

— Ти знаєш, де в морі лежить перстень?

— Не знаю... квак, квак!

— Як не знаєш, то ми тебе назад до матері не пустимо.

А стара жаба почула, вилізла з води — така здорова, як відро, та й каже:

— Не кривдіть моєї дитини: я вам той перстень з моря винесу.

— Добре, — кажуть, — ми будемо дитятко твоє держати, аж доки ти нам перстень принесеш. Як принесеш, тоді його й пустимо.

Пірнула та жаба в море, знайшла перстень, віддала їм. Вони перстень узяли, пустили жабеня та й мерщій до стовпа. Прибігають до свого пана, аж він уже увесь хліб поїв — ледве живий, неборака.

Зараз котик подерсь до віконця, віддав йому той перстень. Він перекинув його з руки на руку — тут зараз і з'явилися слуги.

От він їм і каже:

— Перенесіть цей стовп назад туди, де й був, і щоб став знову з нього палац, а в ньому — моя жінка й мати.

Тільки сказав — так усе й зробилося. Жінку ж він прогнав, а сам живе з матір'ю, з котиком та з собачкою.

ЦАП ТА БАРАН

Був собі чоловік та жінка, мали вони цапа й барана. І були ті цап та баран великі приятелі — куди цап, туди й баран: цап на город на капусту — і баран туди, цап у сад — і баран за ним.

— Ох, жінко, — каже чоловік, — проженімо ми цього барана й цапа, бо за ними ні сад, ні город не вдержиться.

Скоро цап та баран теє зачули, зараз із двору майнули. Пошили собі торбу та й пішли. Ідуть та й ідуть, аж дивляться — серед поля лежить вовча голова. От баран дужий, та не сміливий, а цап сміливий, та не дужий:

— Бери, баране, голову, бо ти дужий! — каже цап.

— Ох, бери ти, цапе, бо ти сміливий! — каже баран.

Узяли вони вдвох і вкинули голову в торбу.

Ідуть та й ідуть, коли бачать — у полі горить вогонь.

— Ходімо й ми туди. Там переночуємо, щоб нас вовки не з'їли!

Приходять, аж то три вовки кашу варять. Нічого робити, вітаються:

— А здорові будьте, панове-молодці!

— Здорові! Здорові!.. — зраділи вовки. — Ще каша не кипить — а м'ясо само прийшло.

Ох, тут цап злякався, а баран уже давно злякався. Цап і надумавсь:

— А подай лишень, баране, оту вовчу голову!

Баран і несе.

— Та не цю, а подай більшу! — каже цап.

Баран знову цупить ту ж саму.

— Та ні, подай ще більшу!

Тут уже вовки злякалися; стали думати-гадати, як звідтіля втікати. «Бо це, думають, такі молодці, що з ними й голови збудешся, — бач, одну по одній вовчі голови тягають!»

От один вовк і починає:

— Ох, славна, браття, кумпанія, і каша гарно кипить, та нічим долить, — піду я по воду.

Як пішов вовк по воду та й думає: «Хай вам абищо, з вашою кумпанією!» — та й утік. А другий став його дожидати і думати, як би й собі відтіля втекти:

— Е, вражий син: пішов та й сидить, нічим каші долить; ось візьму я ломаку та прижену його, як собаку!

Як побіг, так і той не вернувся. А третій сидів-сидів:

— Ось піду лишень — я їх миттю прижену! Каші ж нічим долить!

Як побіг, то такий радий, що втік!

А тоді цап і каже до барана:

— Ох, нумо, брате, скоріше хапатись, щоб нам оцю кашу з'їсти та з куреня забратись.

З'їли швиденько, та тільки їх і бачили.

А тим часом роздумавсь перший вовк:

— Е, чи не сором нам, трьом вовкам, та цапа й барана боятись! Ось вертаймося — ми їх поїмо, вражих синів!

Прийшли, аж цап з бараном добре справлялись, давно все поїли, побігли та й на дуба забрались. Стали вовки думати-гадати, як би цапа й барана спіймати.

Ішли, йшли і найшли їх на дубі. Цап сміливіший — заліз аж на самий вершок, а баран несміливий — то трохи нижче.

— От лягай, — кажуть вовки ковтунуватому вовкові, — ти старший, то й ворожи, як нам їх добувати.

Ліг вовк догори ногами та й почав ворожити. А баран на гіллі сидить та так дрижить!.. Не втримався — як упаде!.. Та на вовка!..

Цап — сміливий, не став роздумувати, та як закричить:

— Подай мені ворожбита!..

Вовки як схопляться, то аж пил по дорозі закурився. А цап та баран безпечно пішли в поле, зробили собі курінь та й живуть там, мабуть, ще й досі.

ПЕТРО І МЕЧ-ГАРТОВАНЕЦЬ

Один бідний чоловік мав сина Петра. От як підріс той син, то тільки й робить, що майструє собі кріси й пістолі. Питають його:

— Нащо ти це робиш?

— Хочу бути вояком! — відповідав Петро.

Тато каже, що треба землю орати, сіяти, і не думати про військо, а він не хоче й слухати. Марширує з крісом на плечі, ще й вигукує:

— Раз, два, три! Раз, два, три!

Одного разу зустрічає його на дорозі один сивий мудрець та й питає:

— Ким ти хочеш бути?

— Вояком!

— Тяжко бути вояком, — відказує мудрець. — Всяке лихо чекає на тебе.

— Не боюся ніякого лиха! — відрубав Петро.

Тоді той чоловік і каже:

— Коли ти такий вдався, то вдарся об землю, перекинься оленем і йди на схід сонця. Придивися добре, як там військо бідує.

Петро ударився об землю, перекинувся оленем та й побіг. Дивився, як там муштрують царських вояків на толоках, мало їсти їм дають, а вночі виганяють з касарень* на дощ.

*з казарм

Вернувся Петро в село.

— Ну, ким ти хочеш бути? — спитав його сивий мудрець.

— Хочу бути вояком! — твердо відповів Петро.

Чоловік подумав та й радить:

— Тепер вдарся об землю і перекинься на зайця. Підеш на захід сонця і поглянеш, як там воякам ведеться.

Петро вдарився об землю, став зайцем і поскакав на захід сонця. Там старши́на била вояків гарапниками й наказувала бігати босими на морозі. Вояки, худі й замучені, їли сухий хліб, сьорбали ріденьку юшку і проклинали свою долю.

Вернувся Петро до мудреця та й каже:

— Хочу бути вояком!

Мудрець похитав головою і мовив:

— Коли так, то вдарся об землю ще раз, стань орлом і полети на південь. Подивишся, що там робить військо.

Парубок ударився об землю, перекинувся орлом і полетів на південь. Тисячі вояків ішли одні на одних, як чорні хмари: били й убивали, із крісів стріляли,

з гармат бахкали. Небо затяглося димом, землею текли криваві ріки. Всюди чулися такі зойки й верески, що волосся на голові ставало щіткою.

Парубок вернувся до мудреця та й далі твердо стоїть на своєму:

— Хочу бути вояком!

Чоловік довго мовчав, міркуючи. Нарешті заговорив:

— Бачу, ти впертий, а я впертих люблю і чим можу — їм помагаю. І тобі допоможу. Іди до війська і пам'ятай: як тяжка буде дорога — перекидайся на оленя. Набридне бути оленем — перекидайся на зайця. Не схочеш бути зайцем — перекидайся орлом. Щасливо тобі, хлопче! З Богом!

— Дякую, добрий чоловіче, — мовив Петро, пішов попрощатися з татом і з мамою і рушив до війська.

Не довелося йому довго сидіти в касарні, бо король оголосив війну іншому королеві. Військо йшло полями, горами, лісами, пливло морем.

— Гов, стійте! — раптом крикнув король. — Я забув удома меч-гартованець. Хто принесе мені його за три дні, за того віддам свою доньку.

Усе військо завмерло. Тоді один молодий князь вийшов наперед:

— Хто може принести вам, світлий королю, як не я?

Слова князя вкололи в саме серце одного графа, який дуже його не любив. Граф почервонів і промовив:

— Це державна справа, світлий королю. Тільки я один можу впоратися з нею. Пошліть мене.

Нарешті Петро став гаптах* та й каже:

*струнко

— Я принесу вам того меча, королю!

Король поміркував і сказав:

— Ідіть усі троє. Хто принесе меч-гартованець — того буде королівна.

Князь, граф і Петро вирушили за мечем-гартованцем. Кожен пішов своєю дорогою. Коли віддалилися від війська, Петро вдарився об землю й перекинувся оленем. Довго біг полями, горами, ярами. Як стомився, вдарився об землю і став зайцем. Потім перекинувся на орла. Прилетів до столиці й зачав ширяти над королівським палацом. Коли королівна отворила вікно, він залетів до її покою, вдарився об підлогу і знову став Петром.

Поклонився дівчині та й каже:

— Твій тато забув удома меч-гартованець, і велів, аби-сь мені його дала, бо меч йому потрібний на війні.

— Не дам, — каже королівна, — аж доки не станеш таким орлом, як був.

— Як так, то й так, — погодився Петро, — вдарився об підлогу і став оленем. Королівна висмикнула йому з-над лівого вуха три волосини. Вдарився вдруге об підлогу і перекинувся на зайця. Королівна висмикнула йому з-над

лівого вуха три пучечки пуху. Вдарився втретє — і перекинувся орлом. Королівна висмикнула йому з лівого крила три пір'їнки. Тоді знову вдарився об підлогу — і став вояком.

Королівна дала йому меч-гартованець і сказала:

— Як закінчиться війна — вертайся до мене.

— Навіщо? — запитав Петро.

— Хочу бути твоєю дружиною.

— Ти — найкраща з дівчат, королівно! З Божою поміччю, може, й вернуся... — відказав Петро, поклонився і рушив у дорогу.

От вийшов він у поле, вдарився об землю і став оленем. Довго біг, аж ноги зболіли. Вдарився об землю — і став зайцем. Довго стрибав і дострибав аж до моря. На березі вдарився об землю — і став орлом. Перелетів море і побачив здалеку королівське військо. Вдарився об землю і знову став вояком.

Але не квапився до короля, бо минув лиш один день. А що був дуже стомлений, то ліг під дубом і заснув.

Тим часом гордовитий князь, що йшов за мечем-гартованцем, заблудився в полі. А граф якраз дійшов до дуба. Побачив сплячого Петра, витяг шаблю і перетяв йому шию. Тоді забрав меч-гартованець і поніс королю.

Прийшов, схилив перед ним голову та й каже:

— Я виконав, світлий королю, твій наказ. Ось тобі меч-гартованець!

— Дякую, графе. Як скінчимо війну, то відгуляємо весілля — моя донька чекає на тебе.

Король з мечем-гартованцем виграв війну і вирушив з військом до столиці. На другий день після повернення сповістив людей, що його донька виходить заміж за графа.

Королівна — в плач:

— Не піду за графа! Це не він приніс меч-гартованець. То був легінь...

Тим часом сивий мудрець не забув про впертого Петра. Він прийшов до дуба, приклав легіневу голову до тулуба і полив цілющою водою.

Петро гейби прокинувся з глибокого сну, глянув на мудреця і сказав:

— От же ж добре я спав!

— Спав би ти цілу вічність, якби не я... — усміхнувся чоловік.

— А де меч-гартованець?

— У короля.

— А де король?

— Уже у столиці. Віддає свою доньку за графа, що приніс йому меч-гартованець.

— А я де був?

— Лежав без голови. Граф тобі її зітнув.

— Що ж мені тепер робити? — зажурився парубок.

— Біжи до столиці!

Петро щиро подякував доброму чоловікові, вдарився об землю — і перекинувся на оленя. Побіг лісом, як вихор. Коли ноги змучились, вдарився об землю — і перекинувся на зайця. Поскакав кущами навпростець, а як стомився — ударився об землю і став орлом. Полетів, як стріла — просто до столиці.

Залетів у королівський палац. Там у своєму покої за столом сиділа й плакала королівна. Як побачила вона того орла — аж засміялася!

Тоді взяла золоте пуделко* з пір'їнками й пухом і пішла з орлом до короля.

*скриньку

— Ось цей орел, таточку прилітав за мечем-гартованцем. Я висмикнула тоді три пір'їнки з його лівого крила.

Орел вдарився об підлогу і став зайцем.

— Цей зайчик теж приходив за мечем-гартованцем.

Я висмикнула три пучечки пуху з-за його лівого вуха.

Зайчик ударився об підлогу і перекинувся на оленя.

— І олень приходив за мечем-гартованцем. Я вирвала з-над його лівого вуха три волосинки.

Олень ударився об підлогу і перекинувся вояком.

Петро виструнчився перед королем:

— Вельможний королю, виконай свою обіцянку...

— Добре, легіню! Завтра — ваше весілля, — погодився король.

Увечері прийшов до Петра сивий мудрець.

Петро подякував йому за поміч і запитав:

— Чому помагаєш мені, як рідний тато?

— Бо ти впертий, а я люблю таких хлопців, — відповів він.

На весіллі Петра й королівни була хмара вельможних гостей. Були там також і прості вояки. І як зачали всі танцювати, то великий мудрець розбив мальований горнець, і на цьому нашій казочці — кінець.

ЯК РІЗНИК ЦВІРІНЬКАВ

На подвір'ї одного різника жив собі песик. Жив дуже погано. Господар його не годував. Песик цілими днями скавчав під дверима. Думав, що господарям набридне і хтось йому кине якусь крихту. Але де там — різник мовби оглух!

Зате обізвався горобець.

— Чого це ти, песику, цілий час — дзяв та дзяв?

— Хочу їсти, горобчику. Живіт присох до хребта, а господар і не думає про мене. Хоч тікай від хати. Не знаю, що й робити.

— Про це треба подумати, — відказав горобчик.

Він думав день, другий, а на третій покликав песика й сказав:

— Мені теж не з медом. Доки знайдеш якесь зеренце — можна вмерти. Тікаймо, песику, в світ — там, мабуть, веселіше.

Погодився песик. Пішли вони у широкий світ. Песик мовби котився землею, а горобчик тільки фуркне — й сяде, фуркне — й сяде. Отак і мандрували.

Коли пройшли добрий шмат світу, песик заскавулів:

— Горобчику-братику, я вже зголоднів. Що будемо їсти?

— Про це треба подумати, — відповів горобчик.

Думав він, думав та й надумав. Зайшли вони в одне село. У крайній хаті якась господиня сиділа на порозі й збивала масло, а перед хатою на ряднині сушилася пшениця. Горобчик сказав:

— Я подражнюся трохи з господинею. А коли вона вбіжить за мною до хати — хапай масло і тікай у ліс.

— Добре! — втішився песик.

Горобчик фуркнув — сів на край ряднини й почав дзьобати пшеницю.

— Агуш! — крикнула господиня.

Але горобчик не хотів і чути — дзьобав зерно як своє.

Господиня схопилася з порога і, розмахуючи руками, побігла до горобчика. Горобчик фуркнув — і залетів у хату.

— Та якого лиха?! — ще більше розсердилася господиня й побігла за ним.

А песик тим часом схопив масло — й драла! Горобчик уздрів, що глечика вже нема на порозі, радісно цвірінькнув — фуркнув у вікно і полетів за песиком.

А песик наївся собі під ліском та й повеселішав. Пішли вони далі.

Йшли день, другий. Песик знову стомився, сів на дорозі — і ні кроку з місця.

— Біда, — каже, — брате горобчику. Знову їсти хочу.

— Не журися, друже, зараз щось придумаємо, — каже горобчик.

Сіли край дороги й чекають. Коли це їде якийсь чоловік. Горобчик фуркув, подивився, що там на возі, й порадував песика:

— Це їде твій різник. Везе м'ясо на ярмарок.

— Ой, друже горобчику, так хочу м'яса, що просто вмираю.

— Тоді біжи за возом, — каже горобчик. — Я дражнитиму різника, а ти вискакуй на віз і трохи собі підобідаєш.

Горобчик зачав літати перед самим різницьким носом. Той махав руками, цьвохкав батогом, але ніяк не міг його відігнати.

А песик тим часом так наминав м'ясце, що аж гарчав від задоволення.

Різник почув гарчання й озирнувся. Упізнав свого песика і розсердився ще більше. Так уперіщив бідолаху по голові батогом, що песик аж зсунувся з воза.

— Ти вбив мого товариша?! Я тобі цього не подарую! — крикнув горобчик і почав дряпати різника в лице.

— Та ти сякий! Та таки такий! Та я тебе проковтну! — репетував розлючений різник.

А горобчик усе літав біля його рота і вичікував, щоб різник сказав ще якесь слівце. І тільки той знов відкрив рот, горобчик — фурк! — та й залетів різникові аж у живіт.

Приїхав різник на ярмарок, розклав м'ясо й почав торгувати.

— Почому ваше м'ясо? — питають люди.

Різник розкрив рота, щоб відповісти, але звідти замість слів вигулькнула горобчикова голова:

— Цвірінь-цвірінь!

Люди зачали сміятися. Зійшлася ціла юрба.

— Почому у вас фунт м'яса, добродію?

Та тільки різник розкрив рота, горобчик знов висунув голівку і відповів:

— Цвірінь-цвірінь!

Увесь ярмарок зі сміху лазив рачки. Пусто-дурно простояв різник на ярмарку — не продав і шматочка. Надвечір склав м'ясо на віз та й подався додому.

А вдома жінка питає:

— Скільки грошей наторгував, чоловіче?

Різник відкрив рота, щоб відповісти, а горобчик висунув голівку й знову:

— Цвірінь-цвірінь!

— Що це ти по-гороб'ячому цвірінькаєш, чоловіче? Ти що — погоробчився?!

Різник узяв папір і написав: «Жінко, бери довбеньку і, як той диявол покаже голову з мого рота, — бий його по голові!»

Жінка взяла обіруч довбеньку і стала перед чоловіком. Різник захотів щось сказати й розкрив рота. Горобчик висунув голову, цвірінькнув і сховався.

Різник знов розкрив рота. Горобчик знову висунув голівку — цвірінь! цвірінь! — і сховався. Жінка розсердилась.

— Ану роззявся ще раз!

Різник роззявив рота, горобчик показав голівку і цвірінькнув. Жінка розмахнулася — й бебехнула чоловіка довбенькою по зубах.

Різник закричав, а горобчик фуркнув йому з рота і полетів на грушу. Коли дивиться, а під грушею скавулить його песик!

Горобчик з песиком дуже зраділи один одному й помандрували собі далі. Кажуть, що й недавно бачили їх у якомусь селі. Але казка про це не знає більше нічого.

ЛЕГІНЬ, ЩО ПОВЕРНУВ ЛЮДЯМ СОНЦЕ, МІСЯЦЬ І ЗОРІ

Жив колись великий пан, що мав велику паню. Були вони дуже багаті, але не мали дітей, і як зістарілись, то впали у велику журу, бо не було кому маєтки лишити.

Пішла пані до знахарки порадитися, що має робити.

— У морі є чарівна рибка, — сказала знахарка. — Та жінка, що її з'їсть, народить хлопчика.

Пані прийшла додому, розказала панові та й просить:

— Злови мені ту рибку.

Приїхав панисько на берег моря, питає рибалок:

— Чи не зловите ви мені ту рибку, від якої моя пані народить сина?

— Зловимо, — кажуть. — Але треба нам дати бочку горілки, аби хлопчина веселий був; бочку меду, щоб дівчатам подобався; і бочку грошей, аби в нього багатство водилося.

— Добре — каже пан. — Коли прийти по рибку?

— Прийдіть за тиждень.

Минув тиждень. Пан привіз усе, що просили рибалки, а вони віддали йому рибку.

От приніс він ту рибку додому і сказав її засмажити. А за кухарку в пана була одна молода гуцулка. На пательні* так смачно запахло, що в кухарки аж слинка потекла. Було грішно не покуштувати. Бо яка кухарка готує й не куштує? Відламала трішечки риби і з'їла, а решту понесла пані.

*сковорідці

Минули місяці. Кухарка народила сина. За пару днів народився син і в пані. Як панський син підріс, його віддали до школи, а син гуцулки пас на толоці гуси.

Так минуло багато років. З гуцульчиного сина зробився такий легінь, як сонечко. Гуцулка не могла натішитися ним.

Одного разу сталося так, що зранку на небі не зійшло сонце, а ввечері десь пропав місяць і не засвітилися зірки. Люди ходили сумні, як перед кінцем світу. Казали, що сонце, місяць і зорі вкрали чорти.

Король розіслав по всій державі такий указ: «Хто знайде сонце, місяць і зорі, за того я віддам свою доньку».

Каже гуцульчин син до своєї мами:

— Піду до короля й подивлюся, яка та королівна, бо не знаю, чи варто через неї зачіпатися з чортами.

Прийшов до столиці. Став перед престолом та й каже:

— Я врятую, королю, сонце, місяць і зорі, але приведи сюди королівну, — хочу її бачити.

Привели. Легінь подивився на неї та й каже:

— Що ж, файна дівчина. Можна за неї і в пекло скочити.

Опівночі він поскакав на коні до великого мосту, що був за темним лісом. Прив'язав коня до верби, а сам вирвав дошку з моста і жбурнув її в ріку. Присів за кущем та й чекає.

Раптом чує гупання копит. Хтось приїхав до мосту й почав кричати:

— Хто розбиває мені міст? Де той псуй-майстер?

— Це я розбиваю твій міст, — відповів легінь з-за куща.

— То що́ — будемо битися?

— Ти, чорте, не страши мене своїм копитом, а краще віддай людям сонце, місяць і зорі, бо зараз із тебе порохи посиплються!

— Не віддам! Мусимо битися!

— Нащо кров проливати? Краще стань вогнем, а я — дощем. Побачимо, хто кого переможе.

— Згода! — крикнув нечистий.

Раптом загорівся великий вогонь і вперіщила густа злива. Вогонь горить, а дощ його гасить. Дощ — тече, вогонь — пече. Дощ цебенить, а вогонь шипить. Як у пеклі! Далі вогонь почав згасати, а дощ ринув ще дужче, мовби прорвалося десять хмар. Нарешті вогонь загасився, пара розвіялась, і на землі залишилась лиш купка попелу.

Легінь розгорнув попіл і аж очі примружив — під попелом заблищало сонечко. Схопив сонце під пахву, сів на коня та й гайнув до короля. При дорозі побачив хатку і захотів знати, хто в ній живе.

Дивиться у вікно, а там самі відьми: дріт прядуть, олово зливають, на бобах ворожать. А одна з них ворожила на картах.

Легінь перекинувся на муху, залетів до хати й сів на стіну.

Відьма, що сліпала над картами, шепотіла собі під ніс:

— Карта показує, що якийсь легінь убив мого чоловіка і забрав сонце. Я тому легіневі помщуся! Стану грушкою серед поля. Як він буде їхати, з'їсть одну грушку й подавиться.

Муха вилетіла з хати і знову стала легінем.

Легінь поспішив до короля. У палаці повечеряв і ліг спати. Лиш наказав:

— Нехай мене ніхто не будить. Сонечко має розбудити!

На ранок люди попрокидалися від веселого сонечка! Почулися радісні крики, защебетали пташки.

На другу ніч легінь сів на коня і знову поїхав на міст. Прив'язав коня до верби, вирвав другу дошку з моста і шпурнув її в річку. Присів за кущем, чекає. За якийсь час знову почувся стукіт копит. То був другий чорт.

Він глянув на міст і заверещав:

— Хто вкрав мою дошку?! Злодію, де ти? Покажися!

— Осьдечки я! — легінь вийшов з-за куща.

— Нащо шукаєш з нами сварки?! — крикнув чортисько.

— Віддай людям місяць, — мовив легінь.

— Без бійки не віддам!

Легінь подумав і відповів:

— Нащо кров проливати? Краще стань каменем, а я стану стовпом. Покотишся з гори і вдаришся об стовп. Як стовп розсиплеться на друзки — ти переміг, а як ні — віддавай місяць.

Так і зробили. Величезна чорна каменюка розігналася з гори і так гримнулася об стовп, що відразу розсипалася на дрібний пісок.

Легінь розгріб пісок і знайшов там місяць, який аж засміявся з радості. Хлопець шпурнув його на небо, і всюди стало весело. Затьохкав соловейко, загавкали пси й заквакали жаби в болоті. Легінь сів на коня й подався до королівського палацу. Коло відьминої хати став і зазирнув у вікно.

Там пряли дріт, відливали олово, а найстарша відьма ворожила на картах.

Легінь перекинувся на блоху, стрибнув до хати і — скік тій відьмі на голову! А відьма бурмотіла собі під ніс:

— Цієї ночі якийсь лапайду́х розбив другого чорта. Я віддячу йому! Стану криничкою в полі. Як він нап'ється з неї, то лусне на чотири кавалки.

Блоха вискочила з хати і знову стала легінем. Він сів на коня — і помчав просто до королівського палацу.

А на третю ніч легінь знову був на мості. Вирвав останню дошку і шпурнув її в річку. Чорт не забарився. Примчав, почав кричати:

— Хто мені тут господарює?!

— Я! — легінь вийшов з-за куща.

— Чого ти вчепився до нашого моста?

— Хочу, аби ти повернув на небо зорі.

— Ні! Спочатку мушу поборотися з тобою!

— Май розум, чорте. Я вже двом таким, як ти, скрутив в'язи. Віддай зірки по-доброму.

— Ні, мусимо поборотися!

— Коли так, — каже легінь, — то зв'яжи мене міцно найтовщими воловодами. Побачиш, що я розірву їх, як павутину!

Чорт обмотав легіня грубезними мотузами і так заґудзував, що й сто чортів не розґудзували б.

— Як не розірвеш це, кину тебе в ріку, — пригрозив чорт.

— Добре, — сказав легінь. — Лиш відвернися, бо я хочу добре на силі зібратися.

Чорт повернувся до нього плечима. А легінь мав у жмені маленький ножик-чепе́лик. Легко перерізав на собі мотуззя, випростався й каже:

— От я й готовий!

Чортисько трохи не зомлів зі страху. Поблід і почав трястися, як у пропасниці.

— Те-те-пер в'яжи ме-ме-мене, — пробелькотів.

Хлопець пообсотував чорта мотузками, як горшкодрай дірявий горщик. Відвернувся й крикнув:

— Рви!

Чортяка так натужився, аж ледве очі йому не повилазили. Надимався, кидався до землі, терся об каміння, скавулів з люті, як скажений пес. Але нічого не міг зробити. Каже легінь:

— Давай зірки, коли не хочеш, щоб жаба дала тобі цицьки.

— Мо-можеш забрати. Зірки на ко-коні, під сідлом, — пробелькотів чорт.

Легінь витяг зорі й почав рахувати. Довго їх перекладав з купи на купу. Скільки їх там було — годі вже й сказати, але одної він таки не дорахувався.

— Де вона?! — крикнув на чорта.

— Там є всі!

— Брешеш, одної бракує! Як не скажеш де вона — шпурну тебе аж туди, де раки зимують.

Чорт зізнався:

— Я подарував одну зірку своїй любасці — відьмі.

Легінь довго не думав. Висадив зв'язаного чорта коневі на спину, сів у сідло і — вйо до відьми!

Стали під вікном — слухають, як відьма мудрує над розкладеними картами:

— Пек цьому лиху! Десь пропав і третій чорт. Певне, і його запропастив легінь.

— Я тутечки! — крикнув зв'язаний чорт.

— Йой, Анти́пку мій коханий, ходи до хати, — заскиглила відьма.

— Не можу, любонько, бо я зв'язаний. Віддай легіневі ту зірку, що я тобі подарував, і попроси, щоб він мене відпустив.

Легінь увійшов до хати. Відьма дала йому зірку.

— Розв'яжи мого любка, — попросила.

— Він мені ще потрібний, — відповів хлопець.

Цілу ніч він шпурляв зорі на небо. Хотів, щоб кожна стала на своє місце. Як закінчив роботу — надворі розвиднілося. Легінь чорта під пахву — поїхав до столиці.

Дорогою усі люди дякували йому за сонце, місяць і зорі. Тільки корчмарі, цісарські міністри і злодії не дякували, бо коли темно — легше шахрувати.

Легінь розв'язав чорта й каже:

— Ану, Антипку, збери корчмарів, міністрів та злодіїв, обмасти їх смолою, обкачай у пір'я, і води їх за собою три дні й три ночі по я́рмарках.

Чорт побіг виконувати наказ, а легінь пішов до палацу.

Став перед королівським престолом та й каже:

— Мій королю, я все зробив. Сонце, місяць і зорі — на місці. Тепер поїду по свою маму — нехай подивиться й скаже, чи хоче такої невістки.

Легінь пустився в дорогу. Сонце пражило, як скажене. Побачив грушу з доспілими грушками, але навіть не підійшов до неї. Страшна спрага не давала йому йти. Бачить — стоїть криниця з чистою, як кришталь, водою, — але навіть не озирнувся на неї.

Приїхав, забрав свою маму й вернувся до короля.

Королівна мамі сподобалась. Було таке весілля, якого й світ не бачив!..

Та схотів король бабахнути з гарматки, але не мав чим заладува́ти. То зловили мене, запхнули в гарматку, дали їсти-пити та й стрілили мною аж сюди — аби я й вам розказав цю казку.

МУДРА ДІВЧИНА

Було собі два брати — один убогий, а другий багатий. От багатий колись ізласкавився над бідним, що не має той ані краплі молока дрібним своїм дітям, та й дав йому дійну корову. Каже:

— Потроху якось відробиш мені за неї.

Ну, бідний брат і відробляв потроху. А та корова молока давала за десять корів багачевих. От багачеві шкода стало корови. Прийшов він до брата та й каже:

— Знаєш, що, брате: віддавай мені корову назад!

Бідний каже:

— Брате! Я ж тобі за неї відробив!

— Що ти там відробив? Як кіт наплакав — а то така корова! Віддавай!

Бідному жаль стало своєї праці, не схотів віддати. Пішли вони позиватися до пана. Приходять, а панові, мабуть, ліньки було розчовпувати, хто з них правий, а хто — ні, то він їм і каже:

— Хто з вас відгадає мою загадку, того й корова буде. Отже, слухайте: що є в світі ситніш, прудкіш і миліш над усе! Завтра прийдете та скажете.

Пішли брати. Багач іде додому і думає:

— От дурниця, а не загадка! Що ж є ситніш над панські кабани, прудкіш над панські хорти, а миліш над гроші! Ге, моя корова буде!

Бідний прийшов додому, думав, думав та й зажурився. А в нього була дочка Маруся. Вона й питається:

— Чого ви, тату, зажурилися? Що пан казав?

— Та тут, дочко, таку пан загадку загадав, що й відгадати годі.

— А яка ж загадка, тату? — Маруся питає.

— Та така: що є у світі ситніш, прудкіш і миліш над усе?

— Е, тату, ситніш над усе — земля-мати, бо вона усіх годує і напуває. Прудкіш над усе — думка, бо думкою враз куди хоч перелетиш. А миліш над усе — сон, бо хоч як добре та мило чоловікові, а все покидає, щоб заснути.

— Чи ти ба? — каже батько. — Адже й справді так! Отак же я й панові казатиму.

Другого дня приходять обидва брати до пана. От пан і питає:

— А що, відгадали?

— Відгадали, пане, — кажуть обидва.

От багатий зараз виступає, щоб попереду поспішитись, та й каже:

— Ситніш, пане, над усе — ваші кабани, а прудкіш над усе — ваші хорти, а миліш над усе — гроші!

— Е, брешеш, брешеш! — каже пан. Та до вбогого: — Ану, ти!

— Та що ж, пане, нема ситнішого, як земля-мати: вона всіх годує й напуває.

— Правда, правда! — каже пан. — Ну, а що прудкіш і миліш над усе?

— Прудкіш, пане, над усе — думка, бо думкою враз куди хоч перелетиш. А миліш над усе — сон, бо хоч як добре та мило чоловікові, а все покидає, щоб заснути.

— Так, усе! — каже пан. — Твоя корова. Тільки скажи мені, чи ти сам повідгадував, чи тобі хто підказав?

— Та що ж, пане, — каже вбогий, — є в мене дочка — семилітка Маруся, — то це вона мене так навчила.

Пан аж розсердився:

— Як це? Я такий розумний, а вона проста собі дівка і мої загадки повідгадувала! Стривай же! На тобі оцей десяток варених яєць та понеси їх своїй дочці: нехай вона посадить на них квочку, та щоб квочка за одну ніч вилупила курчата, вигодувала їх, і щоб твоя дочка спекла трьох курчат на снідання, а ти, поки я встану, щоб приніс, бо я дожидатиму. А не зробить, то буде лихо!

Іде сердешний батько додому та й плаче. Приходить, а дочка й питає:

— Чого ви, тату, плачете?

— Та як же мені, дочко, не плакати: ось пан дав тобі десяток варених яєць та казав, щоб ти посадила на них квочку, і щоб вона за одну ніч вилупила й вигодувала курчата, а ти щоб трьох із них спекла йому завтра на снідання.

А дочка взяла горщечок каші та й каже:

— Понесіть, тату, оце панові та скажіть йому — нехай він виоре, посіє цю кашу, і щоб вона виросла просом, поспіла на ниві, і щоб він просо скосив, змолотив і натовк пшона годувати ті курчата, що мають вилупитись із цих яєць.

Приносить чоловік до пана ту кашу та й каже, що так і так дочка казала.

Пан дивився, дивився на ту кашу та взяв і віддав її собакам. Потім десь знайшов стеблинку льону, дає чоловікові та й каже:

— Неси твоїй дочці цей льон — нехай вона його вимочить, висушить, поб'є, попряде і витче сто ліктів полотна. А не зробить, то буде лихо!

Іде додому той чоловік та й знову плаче. Зустрічає його дочка та й каже:

— Чого ви, тату, плачете?

— Та бач же чого! Ось пан дав тобі стеблинку льону та сказав, щоб ти його вимочила, висушила, пом'яла, спряла і виткала сто ліктів полотна.

Маруся взяла ніж, пішла й вирізала найтоншу гілочку з дерева, дала батькові та й каже:

— Несіть до пана, нехай пан із цього дерева зробить мені гребінь, гребінку й днище, щоб було на чому прясти цей льон.

Приносить чоловік панові ту гілочку й каже, що дочка загадала з неї зробити.

Пан дивився, дивився, узяв та й кинув ту гілочку, а сам думає:

«Ого! Цю обдуриш! Мабуть, вона не з таких, щоб обдурити»...

Думав, думав та й каже чоловікові:

— Піди та скажи своїй дочці: нехай вона прийде до мене в гості, але так, щоб ні йшла, ні їхала, ні боса, ні взута, ні з гостинцем, ні без гостинця. А як цього не зробить, то лихо буде!

Іде знов батько, плачучи, додому. Прийшов та й каже дочці:

— Ну що, дочко, будемо робити? Пан загадав так і так. — І розказав їй усе.

Маруся каже:

— Не журіться, тату, все буде гаразд. Купіть мені живого зайця.

Пішов батько на базар, купив живого зайця. А Маруся одну ногу взула в драний черевик, а друга боса. Тоді піймала горобця, взяла сани-ґринджоли, запрягла в них цапа. Далі взяла під руку зайця, горобця в руку, одну ногу поставила в санчата, а другою по шляху ступає — одну ногу цап везе, а другою йде.

Приходить отак до пана в двір, а пан як побачив, та й каже своїм слугам:

— Прицькуйте її собаками!

Ті як прицькували її собаками, а вона й випустила їм зайця. Собаки погнались за зайцем, а її покинули. Вона тоді прийшла до пана в світлицю, поздоровкалась.

— Ось вам, пане, гостинець, — каже. — Та й дає йому горобця.

Пан тільки хотів його взяти, а він — пурх — та й вилетів у відчинене вікно!

Тоді пан побачив, що нічого з дівчиною не зробить, та й відпустив її.

РАК-НЕБОРАК ТА ЙОГО ВІРНА ДРУЖИНА

Це було тоді, як раки вміли свистати. Жили собі чоловік та жінка і було в них три доньки — одна від одної краща. От якось та жінка й каже до найстаршої:

— Візьми, доню, коновку* та принеси води.

*дерев'яне відро

Дочка взяла коновку, зачерпнула з кринички воду і хотіла вже йти, аж раптом рак-неборак хап за коновку! — і не пускає. Дівчина в крик:

— Пусти мене, раче-небораче!

— Не пущу! Мусиш бути моєю жінкою!

— Ніколи в світі я не буду жінка клишоногого рака! — відказала дівчина.

Рак-неборак не довго думав — потяг її в воду — бульк!

А мати чекає-чекає — нема. Кличе вона середульшу доньку:

— Бери, доню, другу коновку та принеси води, бо вже й обід треба варити.

Пішла середульша. Зачерпнула води, але не встигла витягти, бо рак-неборак тут як тут — хап за коновку й не пускає.

— Пусти мене, раче-небораче, — каже дівчина, — бо мама буде сваритися: обід треба варити.

— Як підеш за мене, то пущу, — каже рак-неборак.

— Ні, я піду за файного легіня, а не за якогось кривоногого рака!

Рак-неборак і її — сіп! — дівчина й булькнула в воду.

А мати вже й розсердилась:

— Що за доньки ледащі! Мабуть, там і заснули...

А найменша каже:

— Не сердьтеся, мамо, я принесу водички.

— Іди, — каже мама, — але довго там не сиди — обід варити давно треба.

Пішла дівчина до криниці, зачерпнула води.

Коли це рак-неборак схопив за коновку й не пускає.

— Ану відпусти! — крикнула дівчина. — Ти що — сказився?!

— Як підеш за мене — відпущу, а як ні — то ні.

— За тебе?!! А ти будеш мене вірно любити?

— Буду, дівчино, буду!

— Тоді добре, я піду за тебе, але спершу скажи, де мої сестри?

— Твої сестри на лузі квітки збирають.

Дівчина глянула — коли й справді: сестри на лузі квіти збирають.

— Коли прийти тебе сватати? — питає рак-неборак.

— Приходь у неділю.

Дівчина забрала сестер та й пішла додому.

А вдома покликала маму й сказала їй на вухо:

— Рак-неборак прийде в неділю мене сватати. Я пообіцяла, що піду за нього.

От прийшла свята неділя. На вулиці зібралися люди, бо хотіли бачити, як рак-неборак буде танцювати. Ще такого не бачили!

Чекають, чекають, а нареченого нема. Зачали сміятися:

— У рака-неборака криві ноги, та й ходить він задом наперед — мабуть, пішов у другий бік.

Аж раптом задудніла земля — з'явилися легіні на конях, а перед ними на білім коні їхав парубок — як намальований, у заквітчаній крисáні*. Він розмахував топірцем**, що виблискував діамантами.

*гуцульський капелюх

**сокирка з довгим різьбленим держаком

Усі люди так і оніміли. А наймолодша сестра не могла начудуватися, коли той парубок скочив з коня, підійшов до неї і взяв її за руку.

Інші легіні теж позіскакували з коней.

От увійшли вони в хату й посідали за столи. Засватали дівчину — зачали танцювати, співати й вíвкати***. А надвечір молодий каже до нареченої:

***голосно й радісно вигукувати

— Я маю бути раком ще один рік і три місяці — чи будеш ти на мене так довго чекати?

— Буду, — каже дівчина.

Наречений подякував їй, сів на коня — і тільки дим та нитка за ним.

Рак-неборак не забував свою дружину. Щовечора він приповзав до хати, скидав з себе шкаралущу і ставав людиною. Молода дружина не могла ним натішитися!

Якось він і каже:

— Я трошки тут засну, а ти дослухáйся: як під вікном рак три рази свисне — розбуди мене.

— Добре, поспи собі, мій любий чоловіченьку, а я попильную, — каже вона.

Рак-неборак заснув, а дружина не спала — прислухалася до кожного шерхоту. Раптом почула свист. Її почав змагати сон, та вона не піддавалася. Минуло трохи часу — хтось свиснув двічі. А молоду дружину ще більше хилило на сон. Притулила вона голову до подушки біля чоловіка...

...Вони так міцно спали, що навіть землетрус їх не розбудив би. Хтось під вікном свиснув тричі, але вони не чули.

Вже й сонце зійшло, пташки заспівали. Чоловік прокинувся, глипнув у вікно — і аж руками сплеснув:

— Що ж ти наробила! Тепер пропав я. Шукай мене по світу — може, й знайдеш.

А далі вбрався в свою шкаралущу, поповз до кринички і пірнув у воду.

Відтоді він більше не приходив.

Засумувала молода дружина. А за якийсь там час каже до матері:

— Зготуйте мені, мамо, торбинку з харчами — піду я в світ чоловіка свого шукати.

Попрощалася вона, взяла торбинку та й подалася світ за очі. Ішла цілий місяць. Скрізь розпитувала про свого чоловіка, але ніхто нічого не знав.

Якось серед широкого поля надибала вона старого-престарого діда. Розповіла йому про свою журу й попросила поради.

Каже дід:

— Це може знати тільки Місяць. Він уночі дивиться на землю і знає де що діється.

— Я його розпитаю! — втішилася ракова дружина.

— Ні, він тобі нічого не скаже. Треба просити його матір.

— А де ж її знайти?

— Підеш цією стежкою до Синьої гори. На тій горі є хатка — там вона й живе.

Пішла ракова дружина до Синьої гори, стала під хатку і — тук-тук у шибку.

— Хто там?

— Я прийшла до Місяцевої мами помочі просити.

Двері відчинилася. Дівчина увійшла й поцілувала господині руку. Сльоза, що впала на руку старої, запекла вогнем.

— Бачу, що в тебе, дівчино, якесь велике горе, — сказала Місяцева мама.

Вірна ракова дружина усе їй розповіла.

— Не журися, доню, — сказала старенька. — Над ранок син вернеться додому, і я про все в нього розпитаю.

Вона нагодувала дівчину й сховала її на ніч — накрила коритом під лавою.

Коли розвиднялося, Місяць вернувся додому. Переступив поріг та й каже:

— Мамо, чому тут людським духом пахне?

— Тобі здається, сину. Мабуть, нахапався по світі всякого духу, — відказала стара Місяциха і поставила перед ним яєчню, зроблену з самих жовтків.

Місяць поснідав, лягає спати. А мати й питає:

— Чи не бачив ти, сину, дружини рака-неборака? Вона, бідна, блукає світом і шукає свого чоловіка. Де він тепер?

— Не знаю, мамо. Її може понести до нього тільки Вітер.

Коли Місяць заснув, старенька підняла корито й тихенько сказала:

— Ти все чула. Тепер підеш до матері Вітра. Вона живе на другій горі. Стара Вітриха — добра жінка, вона тобі допоможе.

Довго йшла вірна ракова дружина, аж доки вийшла на другу гору. Прийшла до Вітрової хати, поклонилася низенько Вітровій матері й припала до її руки. Сльоза обпекла руку господині.

— О-о! Бачу, що маєш на серці великий біль, — мовила старенька.

Дівчина розказала їй про своє горе.

Вітриха зітхнула. Накрила її під лавою коритом і стала чекати на свого сина. Його довго не було — десь блукав світами. Як набігався й охляв — привіявся додому. Коли сів за стіл, мати запитала:

— Бідолашна дружина рака-неборака лишилася сама. Ходить по світу, шукає свого чоловіка, але ніяк не знайде. Ти не знаєш, де він?

— Знаю, мамо, знаю. Якби вона була десь тут поблизу, я поніс би її до рака-неборака.

Стара Вітриха підняла корито:

— Вона тут!

Вірна ракова дружина поклонилася Вітрові.

А він довечеряв і сказав:

— Виходь надвір і сідай мені на плечі...

Вони летіли, летіли, летіли, і врешті таки долетіли до золотого замку.

Рак-неборак повзав у саду, що був обгороджений залізним парканом. Дівчина кинулася до нього й заплакала. Рак-неборак обняв її і теж заплакав з утіхи.

Старий змій, що царював у золотому замку, усе те бачив з вікна. З великої люті він тріснув на тисячу кавалків!

Тої самої хвилини рак-неборак знову зробився чоловіком — змієве закляття втратило свою силу.

А молодята оселилися у тім золотім замку і довго там собі жили-поживали, і ніякого лиха не знали.

ІВАН-ПОБИВАН

Унадився колись давно один страшний змій десь у якусь слободу людей їсти та й виїв чисто всіх, зостався тільки один дід.

— Ну, — каже змій, — завтра тобою поснідаю.

А через ту слободу ішов один бідний хлопець та й зайшов до того діда, проситься ночувати.

— А хіба тобі жити надокучило? — питає дід.

— Як то надокучило? — каже хлопець.

Дід розказав йому, що тут страшний змій усіх людей переїв і оце завтра його з'їсть.

— Е-е, — каже хлопець, — не з'їсть!..

От уранці прилітає змій, побачив хлопця та:

— О-о, це добре, — каже, — був один, а тепер двоє!

А хлопець:

— Гляди, щоб не завадило!

Змій і дивиться:

— Як це, — каже, — хіба ти дужчий за мене?

— Авжеж!

— Який же ти дужчий? Я он, бач...

Та взяв камінь — як стиснув, то з каменя мука посипалась.

— Е-е, це дурниця, — каже хлопець. — Ти стисни так, щоб з нього юшка потекла.

Та тут-таки взяв з мисника ворочок сиру — як натисне, то з нього сироватка так і потекла.

— Отак, — каже хлопець, — стискай!

А змій думає, що то камінь, а не сир, та й каже:

— Ну ходім, за товариша мені будеш.

— Хіба за старшого, — каже хлопець.

Ото й пішли.

Питає його змій:

— А як тебе звуть?

— Іван-Побиван, — каже.

Ну, змій уже й боїться його:

«Щоб мене, думає, ще не побив».

Стало на обід, змій і каже:

— Піди ж ти, хлопче, та принеси сюди вола, будемо обід варити.

Пішов хлопець — та куди тобі! — хоч би одну ногу волячу доніс.

От він ходить по змієвій череді та зв'язує волів хвостами докупи.

А змій ждав, ждав — не діждався, побіг сам.

— Що ти, хлопче, робиш?

— Е-е, буду я тобі по одному волові носити, я хочу всіх зразу забрати.

«Ну, думає змій, оце знайшов товариша на свою голову».

Узяв вола та й поволік.

От оббілував його, дає хлопцеві волову шкуру.

— Іди, — каже, — води повну шкуру принеси.

Узяв хлопець ту шкуру, насилу-насилу дотяг її до колодязя, та як упустив туди, то вже й не витягне. А далі зробив собі невеличку дерев'яну лопатку та й ходить кругом криниці, підкопує її.

Прибігає змій.

— Що ти робиш?

— Е-е, буду я тобі шкурою воду носити! Я зачерпну всю криницю, та й приволочу.

— А щоб тебе! — каже змій.

А сам злякався хлопцевої сили — сам поніс шкуру.

— Піди ж, — каже, — Побиване, дров принеси: вирви там сухого дуба, та й буде з нас.

— Е-е, буду я тобі трошки носити! Якби дубів двадцять заразом, то б так!

Та й удав, ніби розсердився, не пішов.

От змій наварив — сів та й їсть, а хлопець ніби сердиться — не йде обідати, бо ж як піде, то змій одразу здогадається, що він не такий силач, коли побачить, що хлопець менше за нього їсть.

А як зосталось небагато, тоді хлопець сів і собі посьорбав, та й каже:

— Мало.

— Ну, — каже змій, — коли мало, то ходім тепер до моєї матері, вона нам вареників наварить.

— А як іти, то йти, — каже хлопець, а сам думає:

«Тепер я пропав».

Пішли до матері.

От як почали їсти, — а вареників стоїть бочок з двадцять, — то змій усе їсть та їсть, уже й наїдається, а хлопець усе за пазуху та в штани ховає, усе ховає. Вже казанів із двадцять подала, а він усе ховає.

Як поїли, то змій і каже:

— Ходім на камінь крутитися.

— А як іти, то йти, — каже хлопець.

Змій як крутнувсь — аж вогонь пішов!

— Дурниця! — каже хлопець. — Ти так крутнись, щоб юшка потекла! — та як притисне до каменя ті вареники, що в його одежі, а з них юшка так і бризнула.

— Отак, — каже, — крутнися!

Ну, змій уже вкрай злякався Івана-Побивана.

Але ще каже:

— Ану давай, хто сильніше засвище.

— Давай, — каже Іван-Побиван.

От змій як свиснув, то аж дерева пригнулися.

«Ну, думає Іван-Побиван, що його робити?»

А тут лежала якась залізяка.

Глянув він на неї та й каже до змія:

— Зажмур очі, бо я як свисну, то тобі можуть очі посліпнути.

Змій і зажмурився...

А Іван-Побиван як огріє змія тією залізякою межи очі, то той аж здригнувся!

— Правду ти казав, — каже змій, — очі й справді ледве не посліпли!

Та вже щоб хоч не бути з Іваном укупі, змій побудував йому хату на відшибі; хлопець і живе собі.

А той змій із матір'ю радяться, як би то їм Івана-Побивана і зовсім звести зі світу.

— Давай, — кажуть, — його спалимо.

А хлопець і підслухав це та десь і сховався на ту ніч.

От як спалили змії ту його хату, він прийшов туди, став, і струшується, ніби щойно з-під попелу виліз.

Приходить змій.

— А що ти, хлопче, хіба ще живий?

— Та живий, — каже, — тільки цієї ночі мене щось ніби комар укусив.

«Ну, думають змії, од такого треба подалі!»

Та як дременули з тих країв, то тільки їх і бачили.

ТОРБА З КОРОЛЕМ

Це було дуже давно. Жив-був жовняр Іван. Відвоював він своє на війні. Генерал поплескав його по плечі, уткнув три крейцари в жменю та й вигнав геть за браму. Іван плюнув та й почапав до Коломиї шукати щастя між своїх людей, бо краще своя солома, ніж чужа перина.

Іде собі, йде, у сопілку грає. Дивиться — сидить дідо, простяг руку та й просить:

— Дайте, не минайте! Споможіть, чесні люди, бідного чоловіка.

Одні дають, інші минають. Іван дістав з кишені крейцара й поклав старому на долоню. Тоді приклав до вуст сопілку та й пішов собі далі.

Іде, йде, а за якийсь час знову стрічає діда з простягнутою рукою. Дістав з кишені ще й другого крейцара, поклав старому на долоню та й пішов далі.

Довго йшов чи не довго, але на краю якогось села той самий дідо ще раз простяг до нього руку.

Іван вийняв останнього крейцара і дав жебракові. Каже дідо:

— Хто сам нічого не має, а іншому останнє дає, у того добре серце. Я віддячу тобі, жовняре, за твою щедрість. Скажи, чого ти хочеш?

Жовняр подумав і відповідає:

— Нічого мені не треба, бо якби щось мав, то не було б у чому носити. Хіба дайте якусь торбину, щоб було куди в дорозі кавальчик хліба покласти.

— Добре, — погодився старий. — Відтепер, як схочеш щось сховати в свою торбу, то просто скажи: «Фіть до торби!» — і все полетить туди, і ніяка сила не зможе його звідти випустити. Будеш господарем усього, що втрапить у торбу.

Доки жовняр слухав діда, йому на плечі повисла торба — гарна, розмальована. Поки її розглядав, дідок кудись щез.

Пішов Іван та й думає, як би то випробувати, чого вартий дідів дарунок. Побачив двох чоловіків, що били один одного, аж пси гавкали в селі.

Підійшов до них:

— Чого не поділили? — питає.

— Та він мені межу переорав.

— Ні, то він переорав, — каже другий.

Схопили один одного й лупцюють далі. Іван розсердився.

— Ану, халамидники, фіть до торби!

Ті чоловіки, як зайці, шугонули в торбу й замовкли. А далі зачали проситися:

— Випусти нас, добрий чоловіче, бігме́* більше не будемо переорювати межі. Нам треба засівати поле. Бо як не засіємо, то виздихаємо, як руді миші.

*їй-богу

Жовняр витрусив їх з торби та й пішов собі далі.

В одному селі заходить до бідної хатини, проситься переночувати.

— Ми тебе пустимо, але не маємо що на вечерю дати, бо й самі голодні.

Іван подивився, а в хаті повно дітей — худих та обірваних, аж тяжко на них дивитися. Зранку пішов на панське поле, де випасалася худоба, наблизився до корови й мовив:

— Фіть до торби!

Приніс ту корову, випустив її перед хатою бідного чоловіка та й помандрував далі. Отак він ходив від села до села й робив людям добро.

Нарешті придибав до міста. Ходить по ринку голодний, аж світиться, а довкола крамниці, повні хліба. Зайшов до найбагатшої, подивився на полиці й мовив:

— Фіть до торби!

Ледве промовив, як буханці, булочки й калачі вже були в торбі.

Далі пішов туди, звідки пахло ковбасою.

— Фіть до торби! — крикнув.

Ковбаса за ковбасою, як довжелезний воловід, потяглася в торбу.

Ходить Іван по місту, їсть калачі з ковбасою, людей частує. А як наївся й пороздавав людям усе, що мав, витяг сопілку, заграв коломийку та й почвалав до великого міста.

У місті, на широкому майдані, стояв чоловік і ревів на всю горлянку:

— Гей, люди́ська! У королівському замку чорти звили собі гніздо. Той, хто вижене чортів, одружиться з королівною. Де відвага, там і перемога!

Іван дуже хотів одружитися. Думав, що в Коломиї знайде собі пару. А тут на́ тобі — королівна!

— А яка вона з лиця, та королівна? — запитав.

— Як твоя торба навиворіт, — відказали люди, посміхаючись.

«Що ж, подумав Іван, оженюсь-не оженюсь, а чортам натру в ніс перцю і дізнаюся, що то за киця та королівна, аби було що розказувати дівчатам у Коломиї».

І жовняр сказав королівському крикунові:

*замовкни

— Ану затка́йся* й веди мене туди, куди треба. Я вижену чортів.

Крикун підвів його до королівського палацу, який підпирав небо.

Там Іван дізнався, що предок цього короля був колись дуже бідний. А відтак продав чортові душу, і Люципер збудував йому величний замок і зробив його королем. Він довго королював, а перед смертю підписав папір про те, що замок має належати чортам. Хто наважувався зайти в замок, той гинув, як муха.

Став Іван перед королем і мовив:

— Я вимету чортів, а ти готуй доньці весілля.

— Добре, — каже король.

— Та дивися, як збрешеш, то будеш мати придибе́нцію зі мною, — сказав жовняр і рушив до замку.

Узяв з собою хліба, сала й міцного тютюну. Увійшов, сів у куточок, покурює, попльовує й чекає. Час тягнеться поволі, ніби чорти сточили докупи дві ночі.

Раптом задвигтів замок, затряслися стіни — і до зали увійшла добра сотня чортів з опудалом старого цісаря на плечах. Поставили вони те опудало на підлогу й почали щось ґелґотати. Махають вилами, передражнюють один одного, репетують!..

Іван так перелякався, аж сорочка на ньому затверділа!

Але поволеньки отямився, встав і крикнув:

— Ану, перестаньте фанабе́рії показувати!..

Тут до нього кинувся чортище — зморщений, як сушений гриб.

— Ми його підсмажимо, — зрадів. — Беріть його!

Іван посміхнувся:

— Ану, всі чорти — фіть до торби!

Чорти один за одним шмигонули в торбу. Жовняр зав'язав її та й почав щосили ударяти торбою в одвірки — гуп! гуп! гуп!

— Ой-йо-йой! — застогнали нечисті. — Вибач, Іване. Зробимо все, що хочеш, лиш не ламай старих кісток.

— Випущу, як віддасте мені папір старого короля! — сказав Іван і гупнув ними ще раз в одвірок!

— Йой, віддамо, лишень випусти!

— Я вам не вірю! — сказав Іван. — Випущу найменшого, найпрудкішого. Як принесе папір, то підете всі до чортової матері. А як ні, то ні!

Іван проколов голкою дірку в торбі й випустив найменшого чортика. Решта бісів кинулися до дірки, але Іван заткнув її голкою — вони вкололися й притихли.

Прибіг чортик до пекла й розказав про все Люциперові.

Люципер почухався: треба ж рятувати добру сотню чортів, бо от-от запіють треті півні! За одну мить папір уже був у Йванових руках.

Жовняр прочитав написане, відчинив вікно і витрусив з торби усіх чортів. Вони попадали на каміння й потовклися. А опудало зі старим цісарем мовби крізь землю провалилося.

Іван пішов до короля.

— Я вигнав чортів з замку! — сказав, поклонившись. — Тепер давай свою доньку за мене.

— Дуже добре, що вигнав чортів, але доньки за тебе я не віддам, бо ти дранти́вий[*] жовняр, а вона — королівна.

[*] обірваний

— Е-е, не файно, королю! Не роби з лиця халяву! — образився Іван.

— Ти як зі мною говориш! — почервонів король. — Ану, вартарі́, киньте його в темницю!

— Отака твоя дяка, вельможний королю? Ану, фіть до торби!

Король, як щур, шмигнув у торбу.

Іван ви́сповідав його на всі боки — гуп! гуп! гуп! — закинув торбу на плечі та й подався в дорогу. Іде собі, у сопілку грає, аж дерева розлягаються. А король сопе і стогне, як ведмідь у барлозі.

Коли сонце вже було на дві кочерги від заходу, почав король проситися:

— Пусти мене, Йване! Я готовий хоч завтра віддати за тебе королівну!

— А мені її й не треба! Кажуть, що вона лиха й кривобока. Я в Коломиї знайду собі кращу дівчину, а тебе понесу до Паци́кова та й продам на ярмарку, аби ти більше людей не дурив.

— Іване, усе життя буду тільки по правді робити. Бігме́ не брешу! — забожився король.

Тоді жовняр дав йому ще кілька штовханців і випустив з торби.

Король так тікав, аж болото за ним розліталося!..

А Йван грав у сопілку і йшов до Коломиї. Там висватав собі дівчину, як ружу, й зробив таке весілля, що гай-гай!

Були на тім весіллі і мій прадід з прабабою: так вигойкували й танцювали, що аж три пари постолів пірвали!

ЛЕТЮЧИЙ КОРАБЕЛЬ

Був собі дід та баба, а в них було три сини: два розумних, а третій дурний. Розумних же вони й жалують: баба їм щонеділі нові білі сорочки дає, а дурника всі лають, сміються з нього, а він, знай, на печі у просі сидить у чорній сорочці. Як дадуть, то й їсть, а ні, то він і голодує.

Аж ось прийшов царський указ, щоб збиратися до царя на обід, і хто зробить такий корабель, щоб літав, і приїде на тім кораблі, за того цар дочку віддає. Розумні брати й радяться:

— Піти б то туди — може, десь там наше щастя закотилося!

Порадились, просяться в батька, в матері.

— Підемо ми, — кажуть, — до царя на обід: загубити нічого не загубимо, а може, десь там наше щастя закотилося!

Батько їх умовляє, мати вмовляє... Ні!

— Підемо, та й годі! Благословіть на дорогу.

Старі — нічого робити — взяли поблагословили їх, мати надавала їм білих паляниць, спекла порося, — пішли вони.

А третій парубок сидить на печі та й собі проситься:

— Піду і я туди, куди брати пішли!

— Куди ти підеш? — каже мати. — Десь тебе й вовки з'їдять!

— Ні, — каже, — не з'їдять!

Старі з нього спершу сміялись, а далі давай лаяти. Так ні! Бачать вони, що нічого не зробиш, та й кажуть:

— Ну, йди, та щоб уже й не вертався, і щоб не признавався, що ти наш син!

Баба дала йому торбу, наклала туди житнього хліба, пляшку води та й випровадила його з дому. Він і пішов.

Іде та йде, коли зустрічає на дорозі діда: такий сивий дід, борода зовсім біла, аж до пояса!

— Здорові були, діду!

— Здоров, сину!

— Куди йдете, діду?

— Ходжу по світу, — каже, — та людей з біди виручаю. А ти куди?

— До царя на обід.

— Хіба ти, — питає дід, — умієш зробити такий корабель, щоб сам літав?

— Ні, — каже, — не вмію.

— То чого ж ти йдеш?

— А хто його знає, — каже хлопець. Загубити — нічого не загублю, а може, десь там моє щастя закотилося.

— Сідай же, — каже дід, — та спочинеш трохи, пополуднуємо. Виймай, що там у тебе в торбі.

— Е, дідусю, нема тут нічого, самий черствий хліб, що ви й не вкусите.

— Нічого, виймай!

От він виймає, аж із того чорного хліба та такі стали паляниці білі, що він зроду й не їв таких! Сказано: як сонце!

— От бач! — каже дід.

От вони посідали, давай полуднувати. Пополуднували гарненько, подякував дід парубкові за хліб та й каже:

— Ну, слухай, сину: йди ж тепер ти в ліс та підійди до дерева та й удар сокирою в дерево, а сам мерщій падай ниць і лежи, аж поки тебе хто збудить. Тоді, — каже, — тобі корабель збудується, а ти сідай на нього й лети, куди тобі треба, та по дорозі бери всіх, кого б там не стрів.

Парубок подякував дідові та й попрощалися. Дід пішов своєю дорогою, а хлопець — у ліс.

От увійшов у ліс, підійшов до дерева, цюкнув сокирою, упав ниць та й заснув.

Спав-спав... Аж це чує — хтось його будить:

— Уставай, уже твоє щастя поспіло! Вставай!

Парубок прокинувся, коли гляне — аж стоїть корабель: сам золотий, щогли срібні, а вітрила шовкові так і понадимались — тільки летіти!

От він, не довго думавши, сів на корабель, той корабель знявся й полетів. Як полетів та й полетів — нижче неба, вище землі — й оком не зглянеш!

Летів-летів, коли дивиться: припав чоловік на шляху вухом до землі та й слухає.

— Здорові були, дядьку! — гукає хлопець.

— Здоров, небоже!

— Що ви робите?

— Слухаю, — каже, — чи всі вже позбиралися до царя на обід.

— А хіба ви туди йдете?

— Туди.

— То сідайте зо мною, я вас підвезу.

Слухало сів. Полетіли.

Летіли-летіли, коли дивляться: іде чоловік — одна нога за вухо прив'язана, а на одній скаче.

— Здорові були, дядьку!

— Будьте й ви здорові!

— Чого ви на одній нозі скачете?

— Того, — каже, — що коли б я відв'язав другу, то за одним ступнем увесь би світ переступив. А я, — каже, — не хочу.

— Куди ж ви йдете?

— До царя на обід.

— Сідайте з нами.

Скороход сів, знов полетіли. Летіли-летіли, коли дивляться: стоїть чоловік і приціляється з лука, а ніде не видно ні птиці, ані нічого.

— Здорові, дядьку! Куди ви цілитесь, що нічого не видно?

— То вам не видно, а мені видно.

— А що ж ви бачите?

— Ет! — каже. — Там, за сто миль, сидить птиця на сухій грушці!

— Сідайте з нами!

Стрілець і сів. Полетіли.

Летіли-летіли, коли дивляться: іде чоловік і несе за спиною повен мішок хліба.

— Здорові були, дядьку! Куди йдете?

— Іду, — каже, — добувати на обід хліба.

— Та у вас і так повен мішок!

— Що тут цього хліба! Мені й на один раз поснідати не стане.

— Сідайте з нами!

Сів і Об'їдайло. Полетіли.

Летіли-летіли, коли дивляться, ходить чоловік коло озера, мов чогось шукає.

— Здорові були, дядьку!

— Будьте й ви здорові!

— Чого ви тут ходите?

— Пити, — каже, — хочеться, та ніяк води не знайду!

— Та перед вами ж цілісіньке озеро, чому ви не п'єте?

— Ет, що тут цієї води! Мені й на один ковток не стане.

— То сідайте з нами!

Сів і Обпивайло. Полетіли.

Летіли-летіли, коли дивляться — аж іде чоловік і несе в'язку соломи.

— Здорові були, дядьку!

— Будьте й ви здорові.

— Куди це ви несете солому?

— У село, — каже.

— Ото! Хіба в селі нема соломи?

— Є, — каже, — та не така!

— А хіба це яка?

— А така, — каже, — що яке б душне літо не було, а тільки розкидай цю солому, то зараз де не візьметься мороз і сніг.

— Сідайте з нами!

Морозко сів, полетіли далі.

Летіли-летіли, коли дивляться: іде чоловік у ліс і несе в'язку дров за плечима.

— Здорові були, дядьку!

— Будьте й ви здорові.

— Куди ви дрова несете?

— У ліс.

— Ото! Хіба в лісі нема дров?

— Чому нема? Є, — каже, — та не такі.

— А які ж?

— Там, — каже, — прості, а це такі, що як тільки розкидати їх, то зараз де не візьметься військо перед тобою!

— Сідайте з нами!

От сів і той, та й полетіли.

Чи довго вони летіли, чи не довго, а прилітають до царя на обід. А там серед двору столи понаставлені й понакривані, бочки меду повикочувані — пий, душе, їж, душе, чого забажаєш! А людей, сказано, півцарства зійшлось: і старі, і малі, і пани, і убогі!.. Як на ярмарку.

Парубок з товариством прилетів, спустився в царя перед вікнами.

Повиходили вони з корабля й пішли обідати. Цар дивиться у вікно — аж хтось прилетів на золотім кораблі. Він лакеєві й каже:

— Піди спитай, хто там золотим кораблем прилетів!

Лакей пішов, подивився, приходить до царя:

— Якась, — каже, — мужва обідрана!

— Як? — не вірить цар. — Щоб мужва та на золотім кораблі прилетіла?! Ти, мабуть, не допитався.

Узяв та й пішов сам між люди.

— Хто, — питає, — на цім кораблі прилетів?

Парубок виступив.

— Я! — каже.

Цар як подивився, що в нього свиточка — латка на латці, штанці — коліна повилазили, то аж за голову взявся:

— Як-таки, щоб я свою дитину та за такого хлопа видав?

Що його робити? І давай йому загадки загадувати.

— Піди, — каже на лакея, — скажи йому, що хоч він і на золотім кораблі прилетів, а як не добуде води живущої й цілющої, поки люди пообідають, то не те, що царівни не віддам, а оце меч — а його голова з плеч!

Лакей і пішов.

А Слухало підслухав, що цар казав, та й розказав парубкові. Парубок сидить на лаві (такі лави кругом столів пороблено) та й журиться: не їсть, не п'є.

Скороход побачив:

— Чому ти, — питає, — не їси?

— Де вже мені їсти! І так на душу не йде... Загадав мені цар, щоб я, поки люди пообідають, добув води живущої й цілющої! А як я її добуду?

— Не журись! Я тобі дістану!

Приходить лакей, дає йому царський наказ, а він уже давно все знає.

— Добре, — каже, — принесу!

От лакей і пішов.

А Скороход відв'язав ногу від вуха та як махнув — так в одну мить і набрав води живущої й цілющої. Набрав, утомивсь.

«Ще, думає, поки обід, вернуся, а тепер сяду під млином, відпочину трохи». Сів та й заснув.

Люди вже обід кінчають, а його нема. Парубок сидить ні живий ні мертвий. «Пропав!» — думає.

Слухало взяв, приставив вухо до землі — давай слухати. Слухав-слухав...

— Не журись, — каже, — під млином спить, вражий син!

— Що ж ми будемо тепер робити, — каже парубок, — як би його збудити?

А Стрілець каже:

— Не бійся, я збуджу!

От як нап'яв лук, як стрельне — як торохне та стріла в млин, аж тріски полетіли! Скороход прокинувсь — мерщій туди! Щойно люди обід кінчають, а він приносить ту воду.

Цар — що робити? Загадує другу загадку:

— Як з'їсть із своїм товариством за одним разом шість пар волів смажених і сорок печей хліба, тоді, — каже, — віддам мою дитину за нього, а не з'їсть, то от мій меч — а його голова з плеч!

Слухало й підслухав та й розказав парубкові.

— Що ж тепер робити? Я й одної хлібини не з'їм! — бідкається парубок.

А Об'їдало й каже:

— Не журися, я за вас усіх поїм, ще й мало буде.

Приходить лакей: так і так.

— Добре, — каже, — нехай дають!

От засмажили дванадцять биків, напекли сорок печей хліба. Об'їдайло як зачав їсти — усе дочиста поїв, ще й просить:

— Ех, — каже, — мало! Хоч би ще трошки дали!

Бачить цар, що непереливки — знову загадку загадує: щоб сорок сорокових кухлів води випив за одним духом і сорок сорокових кухлів вина, а не вип'є — «мій меч — його голова з плеч!»

Слухало підслухав — розказав: парубок трохи не плаче.

— Не бійся! — каже Обпивайло. — Я, — каже, — сам вип'ю, ще й мало буде.

От викотили їм по сорок сорокових кухлів води й вина. Обпивайло як узявся пити — усе до краплі видув ще й підсміюється:

— Ех, — каже, — мало! Хоч би ще трохи — ще б випив.

Цар бачить, що нічого з ним не вдіє, та й думає: «Треба його, вражого сина, зі світу звести, бо ж він мою дитину занапастить!»

Знов посилає лакея:

— Піди скажи, щоб він перед шлюбом у лазню сходив.

А другому лакеєві загадує, щоб лазню чавунну натопили.

— Там він, сякий-такий, і засмажиться! — каже.

Грубник натопив лазню — так і пашить, самого чорта можна засмажити!

Сказали парубкові. От іде він у лазню, а за ним — Морозко із соломою. Тільки що ввійшли досередини, аж там такий жар, що не можна! Морозко розкинув солому — й відразу так стало холодно, що парубок насилу обмився, та швидко на піч, та там і заснув, бо намерзся таки добряче!

Вранці відчиняють лазню, думають — тільки з нього попілець зостався, — аж він лежить на печі.

Вони його й збудили.

— Оце, — каже, — як міцно спав! — Та й пішов з лазні.

Доповіли цареві, що так, мовляв, і так: на печі спав, а в лазні так холодно, наче цілу зиму не топлено.

Цар засмутився дуже: що його робити? Думав-думав, думав-думав...

— Ну, — каже, — як дістане мені на ранок полк війська, то вже дам свою дочку за нього, а не дістане, то от мій меч — йому голова з плеч!

А сам думає:

«Де-таки простому хлопові та полк війська добути? Я цар, та й то!..»

Слухало підслухав і розказав парубкові.

От іде він на корабель, до товариства:

— Ой, братця, виручайте! Виручали не один раз, то й тепер виручіть!..

— Не журися! — каже той, що ніс дрова. — Я тебе виручу.

Приходить слуга:

— Казав, — каже, — цар, як поставиш завтра на ранок цілий полк війська, тоді царівна твоя!

— Добре, зроблю! — каже парубок. — Тільки скажи цареві, що як не віддасть ще й тепер, то я його війною повоюю і силою царівну візьму.

Уночі взяв той чоловік свою в'язку дров та й повів парубка в поле. Як почав ті дрова розкидати, то що кине — то й чоловік, що кине — то й чоловік! І такого війська набралося!

На ранок прокидається цар — аж чує: грають.

— Що там так гарно грає? — питає.

— Та то, — кажуть, — той, що на золотім кораблі прилетів, своє військо муштрує.

Цар тоді бачить, що нічого не вдіє, та звелів його покликати до себе.

А парубок такий став, що його й не пізнаєш: одежа на ньому так і сяє: шапочка золота, а сам такий гарний, як сонце! Веде він своє військо: сам на воронім коні попереду, за ним старши́на. Підступив під палац.

— Стій! — крикнув.

Військо стало в лаву, як перемите!

Він пішов у палац; цар його обіймає, цілує:

— Сідай, — каже, — зятю мій любий! Сідай коло мене!

Вийшла й царівна; як побачила — аж засміялась: який же в неї гарний чоловік буде! От їх швидко й повінчали, та такий бенкет урядили, що аж до неба дим пішов.

ЧАРІВНЕ ГОРНЯТКО

Це було давно-предавно, коли кури несли телят, а вівці — писанки, кращі, ніж у Косові. Тоді був на світі бідний чоловік, що мав три доньки — Марійку, Анничку і Василинку. Доки доньки були малі, чоловік дуже бідував, а як вони підросли, то стало трохи легше, бо вже було кому обід зварити, шмаття випрати і в поле піти. Дівчата були дуже вродливі — як три кущики квітучої калини.

Одного дня чоловік узяв своїх доньок у поле бараболю* сапати.

*картоплю

Несподівано з лісу виїхала бричка і стала на дорозі просто їхньої нивки. З брички зліз якийсь панок.

— Добридень, ґаздо! Гризеш пісну нивку?

— Гризу, паночку.

— І твої доньки все життя будуть отак гризти?

— Певно, будуть, бо ніхто не знає, яка їх доля чекає.

— А я знаю,— хвалиться панок.— У вашої старшої доньки буде щаслива доля, коли віддасте її за мене.

Чоловік здивувався:

— А ви хто такий?

— Я — Ольдеквіт, найбільший пан у сусіднім краю.

Чоловік задумався. Правду сказати, він навіть утішився, що хоч одна його дочка не бідуватиме. Може, ще й молодшим сестрам не дасть бідувати на світі.

— Ну, то що, Марійко, підеш за панича?

Марійка глянула на Ольдеквіта — гарний, з блакитними очима і чорним чубом.

— Піду, тату.

Утішився старий:

— Ну, то в неділю справимо весілля, — утішився старий.

— Е, ні, весілля буде в моєму палаці, — заперечив пан. — Але мусите пустити молоду тепер, нехай іде зо мною.

Чоловік подумав-подумав та й погодився.

— Ходи, Марійко, — сказав панич дівчині. — Перед нами далека дорога, а сонце вже на заході.

Дівчина попрощалася з ріднею, сіла у бричку та й поїхала.

Минув тиждень, але Ольдеквіт не просив старого на весілля.

Минув і рік. А чоловік нічого не знав про свою найстаршу доньку.

Настало знову сапання. Ґазда вийшов у поле з Анничкою і Василинкою. Сапали, скільки сапали, коли це з лісу виходить Ольдеквіт.

— Добридень! — каже. — Що, далі гризете своє полечко?

— Та гриземо... А як наша Марійка? Чому не приходить?

— Має малу дитину. Просила, щоб Анничка приїхала до неї хоч на тиждень — може, щось їй трохи поможе.

Анничка аж підскочила:

— Я поїду, татку! Марійці самій сумно. Побавлю дитину, і їй веселіше буде. Приїду й розкажу вам, як вона поживає.

Чоловік дав згоду. Анничка побігла, сіла в бричку коло Ольдеквіта та й поїхала.

Минув не тиждень, а вже цілий рік. Про Марійку і Анничку ніхто нічого не чув — мовби каменем у воду впали.

Знов настало літо. Чоловік вийшов у поле сапати бараболю з наймолодшою Василинкою. Коли це над'їжджає з лісу Ольдеквіт.

— Добридень! — каже. — Що, гризете й досі бідну землю?

— А що маємо робити? Мусимо працювати, аби втримати грішну душу в тілі. А де наша Анничка? Чому так довго не вертається?

— Я вже не раз хотів її привезти, але Марійка не пускає. Каже, що їй буде сумно без сестрички. Анничка трохи застудилася і просила, аби Василинка приїхала в гості хоч би на три дні. А потім разом вернуться додому.

— Я поїду, тату. Ненадовго, лиш на три дні. Пустіть мене.

— Та їдь, але вертайся за три дні.

Василинка сіла в бричку, і коні рушили. Спочатку, як усі люди, їхали дорогою.

Потім бричка знялася вгору і полетіла, наче птах. Довго мчала в повітрі, доки прилетіла до кам'яного замку, що стояв на горі.

Величезна брама перед бричкою отворилася сама. Дівчина скочила з брички, гадаючи, що сестри вибіжать їй назустріч. Але ніхто її не зустрів. Здавалося, що в замку не було й живої душі. На даху лиш ворони каркали.

— Де мої сестри? — злякалася Василинка.

Та Ольдеквіт мовби крізь землю провалився разом з бричкою й кіньми.

Дівчина почала бігати похмурими коридорами, заглядати в темні кімнати.

— Марійко! Анничко!

Ніхто не озивався. Сіла вона на холодний камінь і ревно заплакала. Довго текли їй з очей гарячі сльози. Нараз перед нею з'явилася бабуся, стара-престара.

— Чого ти плачеш, дівчино?

— Як мені не плакати, коли Ольдеквіт привіз мене до сестер, а їх ніде не видно. Він кудись утік, а я лишилася сама на студенім камені. Що маю робити?

— Сестер своїх не скоро побачиш. Ольдеквіт — великий кат. Він їх мучить у чорних пивницях, і на тебе таке чекає:

— Ні, бабусю, я втечу!

— Звідси ніхто не втече, бо залізна брама під золотим ключем.

— То що ви мені порадите, бабусю?

Стара дала їй тонкий поясок:

— Запережися цим пояском і будь смирна перед Ольдеквітом. Коли скаже, щоб ти стала його дружиною, засунь ліву руку під пояс і дай свою згоду. Кажи, що ти кохаєш його дужче, ніж свого тата й сестер. Але пам'ятай: роби все, тримаючи ліву руку під поясом. Він має чарівну силу правди.

— Дякую, бабусенько, — мовила Василинка, і бабуся зникла, наче її й не було.

Дівчина заперезалася чарівним пояском і стала чекати свого ворога.

Надвечір вернувся Ольдеквіт і одразу до неї:

— О, слухай — будь мені за жінку!

Василинка засунула ліву руку під поясок і лагідно відповіла:

— Усе життя буду тобі вірною жоною.

— А як ти мене кохаєш?

— Дужче, ніж свого тата і сестер.

— Маєш щастя... Такої дружини мені й треба, — втішився Ольдеквіт.

Василинка зварила вечерю. Ольдеквіт наївся, напився, дав Василинці в'язку золотих ключів і сказав:

— Оце ключі від усіх дверей мого замку. Але ти не входи до кімнат, я привезу тобі всього, чого лишень схочеш. Я їду в світ на цілий тиждень. Дивися, щоб тут не пропало ані ниточки.

*стерегти, доглядати

— Буду пантрувати*, мій господарю.

Ольдеквіт утішився, що має таку жінку, сів на бричку та й поїхав.

А Василинка не могла заснути. Вранці вийшла в садок, лягла на траву й заридала.

З-під землі почувся голос Марійки й Аннички:

— Тату наш рідний, врятуй нас від цього Ольдеквіта! Скільки нам ще мучитися в його темницях?

Василинка схопилася й побігла до замку. Блукала кімнатами, шукала сестер. Та всюди були тільки купи золота і діамантів.

На другу ніч уві сні знову показалася їй бабуся. Вона сказала:

— Відімкни двері у підлозі дванадцятої кімнати.

Василинка прокинулася й почала шукати дванадцяту кімнату. Як знайшла, відімкнула двері, що були в підлозі, і заглянула вниз. Там були три легіні, прикуті ланцюгами до залізного пня. Один із них побачив Василинку й попросив:

— Дівчино, принеси мені напитися з мальованого горнятка. Спрага мене замучила.

Василинка знайшла в покоях чарівне мальоване горнятко, зачерпнула води і спустилася драбиною в підвал.

Легінь напився і тут же вчинився силачем. Сіпнув ланцюг — і відірвався від залізного пня.

— Дівчино, дай і мені напитися, — попросив другий хлопець.

Василинка не пошкодувала водиці і йому. Той напився з мальованого горнятка, набрався сили, сіпнув ланц — і відірвався від залізного пня.

— Дівчино, дівчино! І мене мучить спрага. Дай і мені напитися з чарівного горнятка, — озвався третій легінь.

Василинка і йому піднесла мальоване горнятко.

Коли усі три легіні позривали з рук ланцюги, дівчина спитала:

— Чи не знаєте, легіники, де мої сестри?

— Твої сестри під залізним пнем. Дай нам ще напитися і зараз їх побачиш.

Легіні напилися і відкотили залізний пень. Під ним були залізні двері. Василинка відімкнула їх золотим ключем і зазирнула донизу — у темній темниці сиділи й плакали її сестри — Марійка й Анничка.

Легіні спустилися драбиною до них і винесли дівчат з темниці.

Василинка так тішилася сестрами, що навіть не почула, як вернувся Ольдеквіт. Він ледве ноги приволік. Хотів напитися з мальованого горнятка, та не знайшов його в покої. Ліг і заснув міцним сном, аби хоч так відновити силу.

А Василинка позамикала золотими ключами усі двері в замку — навіть оті, де спав Ольдеквіт.

Потому відчинила залізну браму, і всі шестеро пустилися тікати. Бігли так, що й землі не чули під ногами. За якийсь час добігли до темного лісу.

Раптом у повітрі щось страшенно загуло.

— Це Ольдеквіт, — сказала Василинка з острахом.

Напилися вони водиці з мальованого горнятка та й побігли швидше. Але хіба можна втекти від Ольдеквіта?

Під розлогими дубами побачили хатку на курячій лапці. Вона була повернена до них передом.

— Нате золотий ключик і біжіть у хатку, — сказала Василинка легіневі, що тримав за руку Марійку.

Хлопець з дівчиною забігли в хатку й замкнулися тим ключем.

А решта четверо напилися водиці з мальованого горнятка й побігли далі.

Примчав Ольдеквіт і сердито, аж іскри з нього сипали, запитав хатку:

— Чи не ти, бува, сховала Марійку з легінем?

Хатка крутнулася на курячій лапці і обернулася до нього задньою стіною.

— Я б тебе спалив, але не маю часу! — крикнув Ольдеквіт і пустився бігти далі. Повітря гуло, а земля дудніла.

Аж ось перед утікачами, гейби з-під землі, з'явилася хатка на качачій лапці.

Василинка глипнула на легіня, що тримав за руку Анничку, і мовила:

— Ось вам золотий ключик — сховайтеся у цій хатці!

Легінь забіг з Анничкою в хатку і замкнув двері.

За якусь хвилю Ольдеквіт уже був перед вікнами:

— Хатко, хатко, до тебе не забігала Анничка з легінем?

Хатка покрутилася на качачій лапці і обернулася до нього задньою стіною.

— Я б тебе спалив, хатко, але часу не маю! — крикнув Ольдеквіт і побіг далі.

Василинка з легінем напилися водиці з мальованого горнятка і бігли з усіх сил.

Лісом немовби страшна буря летіла! Глип — а на галявині стоїть хатка на гусячій лапці. Василинка потягла парубка за собою і — шусть у хатку. Замкнула двері на золотий ключик — і ні пари з вуст.

Прибігає Ольдеквіт, питає:

— Скажи мені, люба хатко, до тебе не забігала Василинка з легінем?

Хатка покрутилася на гусячій лапці й обернулася до нього задньою стіною.

— Я б тебе спалив, хатко, але не маю часу — мушу їх зловити і в морі втопити!

Ольдеквіт ще довго біг, аж доки опинився на березі синього моря. Став, роздивився на всі боки, але нікого ніде не побачив. І тріснув зі злості!

А троє сестер віддалися за тих легінів, з якими втікали.

Довго жили вони в своїх чарівних хатках, їздили до тата в гості, дітей бавили і розказували їм казку про чарівне горнятко.

ЯК ІВАН ЦАРЯ ПЕРЕБРЕХАВ

Мав один цар красну дочку та й надумав заміж її віддати. На увесь край проголосив, що дасть царівну за найпершого брехуна.

А в одного чоловіка було три сини. Старший, що вважав себе дуже мудрим, сказав до своїх братів:

— Царівна буде моя, бо я можу найкраще брехати.

Прийшов він до царя, а там брехунів видимо-невидимо. Входять один за одним до покоїв і виходять засмучені.

Дійшла черга й до нього.

Ввійшов, а цар з порога попереджає:

— Міркуй, небоже! Бо як добре не збрешеш, дістанеш п'ятдесят палиць.

От вислухав цар хлопцеву брехню та й каже:

— Таке цілком могло статися. Підставляй гузно.

Вернувся хлопець додому, а батько й питає:

— Ну, коли будемо, сину, весілля твоє з царівною гуляти?

— Ох, — жаліється хлопець, — не будемо, бо найбільший брехун — то цар.

Вирішив спробувати щастя й середульший син. Але й він заробив п'ятдесят палиць.

Коли це наймолодший Іван, якого брати вважали не сповна розуму, і собі проситься до царя.

— Куди ти, дурню, підеш? — не пускають його брати. — Тільки ганьбу нам принесеш.

Не послухався Іван та й пішов. Заходить до покоїв, а цар наказує:

— Бреши, хлопче! Але бреши добре, як не хочеш п'ятдесят палиць дістати!

— Я так збрешу, — каже Іван, — що ти, царю, підеш свиней пасти.

Цар ледве стримав гнів.

— Бреши, бреши, — каже. — Але царівна не буде твоя, як я розсерджуся.

— Нас троє братів, а четвертий, наймолодший, наш тато, — почав оповідати Іван. — Маємо велике поле. Надумали ми його взимку погноїти. Навозили гною та й розкидали по землі. Навесні сніг розтанув — бачимо, а ми погноїли чуже поле. Взяли ми ту ниву за всі чотири краї, перенесли її та й висипали з неї гній на свою.

Цар схвалив:

— Може, може таке бути!

— Посіяли ми на тій ниві пшеницю, — розказує далі хлопець. — І виросли з неї високі дуби — такі, що аж до хмар сягають. Покосили ми ті дуби, а жолуді склали в скирти. Накупив тато багато свиней — більше, як у пресвітлого царя.

— А за що він міг купити більше свиней, як у мене? — заперечив цар.

Та хлопець не розгубився:

— Не знаєш ти, царю, як бідний уміє хазяйнувати. Він годує воші, а відтак продає їх панам за великі гроші. Так і ми робили.

— Ну... і таке може бути, — видавив із себе цар. — Але до свиней ще й свинарів треба.

— Правду кажете, — мовить Іван. — Не могли ми самі свині доглядати і найняли вашого тата за свинаря.

Як закричить цар:

— Брешеш! Мій тато царював, він з царської сім'ї!..

Та й замовк. Зганьбився, що простий Іван його перебрехав.

Не хотілося цареві віддавати дочку за Івана, але не міг відмовитися від свого царського слова і наказав гуляти весілля.

Йвана скупали в царській купелі, вбрали в царську одежу — то такий з нього красень, що й не сказати!

Відгуляли весілля і став Іван царем у тій державі. Може, й дотепер царює, як не вмер.

КНЯЗІВНА-ЖАБА

Де-не-де, у якімсь князівстві жили собі князь та княгиня, і було в них три сини, як соколи. От дійшли вже ті сини до зросту, — такі парубки стали, що ні здумати, ні згадати, хіба в казці сказати! Дійшли літ — час їм женитися.

Князь порадився гарненько з княгинею, покликав синів та й каже:

— Сини мої, соколи мої! Дійшли ви літ, час вам уже й подружжя шукати.

— Час, — кажуть, — таточку, час!

— Беріть же, діти, сагайдаки срібні, накладайте стрілочки мідяні та пускайте в чужі землі далекі: хто до кого влучить у двір, там тому й молоду брати.

От вони повиходили, понатягали луки — та й ну стріляти. Старший стрельнув — загула стріла попід небесами та й упала аж у іншому царстві, у царя в садочку. Царівна на той час по саду проходжувалась, підняла стрілку, милується. Прийшла до батька, хвалиться:

— Яку я, таточку, гарну стрілку знайшла!

— Не віддавай же, — каже цар, — її нікому, тільки віддай тому, хто тебе за дружину візьме!

Аж так і сталося: через який там час приїздить старший князенко, просить у неї стрілу.

— Не дам, — каже, — цієї стрілки нікому, тільки віддам тому, хто мене за дружину візьме.

— Я, — каже князенко, — тебе візьму.

Намовились. Поїхав він.

Середульший князенко стрельнув — звилася стріла нижче від хмари, вище від лісу та й упала у княжий двір. Князівна на той час на ґаночку сиділа, побачила, підняла стрілку й понесла до батька:

— Яку я, таточку, гарну стрілку знайшла!

— Не віддавай же її, — каже князь, — нікому, хіба тільки віддай тому, хто тебе за дружину візьме.

От приїздить і другий князенко, середульший, просить стрілку.

Вона відказала так, як і та. І цей каже:

— Я тебе візьму.

Погодились. Поїхав він.

Доводиться найменшому стріляти. Іван-князенко (так його звали) як стрельне — загула стріла ні високо, ні низько — вище хат, та й упала ні далеко, ні близько — коло села в болоті.

На купині сиділа жаба і взяла ту стрілку. Приходить Іван-князенко.

— Віддай мені мою стрілку! — просить.

— Не дам я, — каже жаба, — цієї стрілки нікому. Тільки віддам тому, хто мене за дружину візьме.

Іван-князенко й думає: «Як-таки зелену жабу та за дружину брати?»

Постояв над болотом, пожурився, та й пішов додому плачучи.

От уже їм час до батька йти, казати, хто яку собі молоду знайшов. Ті ж два — старший і підстарший — такі раді, що Господи! А Іван-князенко іде та й плаче.

Питає батько:

— Ну, розкажіть же, сини мої, яких ви мені невісток познаходили?

Старший каже:

— Я, татку, знайшов царівну.

Підстарший:

— А я — князівну.

А Іван-князенко стоїть та й слова не мовить: так плаче, так плаче!

— А ти чого, плачеш? — батько питає.

— Як же, — каже, — мені не плакати, що у братів жінки як жінки, а мені доведеться з болота зелену жабу брати...

— Що ж, бери, — каже князь, — така вже, видно, твоя доля.

От і поодружувалися князенки: старший узяв царівну, середульший — князівну, а Іван-князенко — зелену жабу з болота.

От одружилися та й живуть собі. А це якось князь забажав: яка з невісток уміє краще рушники ткати. Загадує: «Щоб на завтра, на ранок, рушники виткали та принесли показати: яка з них краща ткаля?»

Іван-князенко йде додому та й плаче, а жаба вилізла назустріч, питає:

— Іване-князенку, чого ти плачеш?

Як же мені не плакати: загадав наш батько, щоб на завтра, на ранок, кожна невістка йому рушник виткала.

— Не плач! Усе буде гаразд; лягай та спи!

Він ліг, заснув, а вона взяла — кожушок жаб'ячий з себе скинула, вийшла надвір, гукнула — тут де не взялися дівчата-служниці, виткали рушники і віддали їй. Вона взяла, поклала біля Івана-князенка, знову кожушок наділа і стала такою жабою, як і була.

Прокидається Іван-князенко — аж такі рушники, що він ще й зроду таких не бачив! Зрадів він, поніс до князя. Батько теж радий — так йому дякує! Тих же невісток рушники — так собі, простенькі — князь на кухню повіддавав, а жабині в себе на образи почепив.

От батько знов загадує, щоб невістки напекли гречаників та принесли йому: хто краще пече? Іван-князенко йде додому та й знову плаче.

Жаба вилізла проти нього та й питає:

— Іване-князенку, чого ти плачеш?

— Як же мені не плакати: загадав батько гречаники пекти, а ти не вмієш!..

— Не плач, напечемо! Лягай та спи!

Він собі ліг, заснув. А ті дві невістки пішли під вікно — дивляться, як вона буде робити. От вона взяла — ріденько вчинила, ріденько підбила, ріденько й замісила; потім вилізла на піч, пробила дірку, вилила туди — гречаники так і розпливлися по черені.

Ті невістки швидше додому та нумо й собі так робити. Напекли таких гречаників, що хіба тільки собакам повикидати.

А вона, як ті пішли, кожушок — із себе, вийшла надвір, гукнула — тут де не взялися дівчата-служниці. Вона їм загадала, щоб до світанку були гречаники!

От приносять їй ті гречаники — як сонце, такі гарні. Взяла вона, положила їх коло Івана-князенка, а сама — кожушок на себе, і знов стала такою зеленою жабою, як і була.

Іван-князенко прокидається, бачить: біля нього гречаники, як перемиті. Узяв він, поніс до князя. Батько знов йому дякує. Тих же невісток гречаники собакам повіддавав, а ці звелів до страви подавати.

От знов загадав князь своїм синам, щоб у такий і в такий день були в нього з жінками на бенкеті.

Старші брати радіють, а Іван-князенко йде додому, похнюпивши голову, та й плаче. Жаба вилізла назустріч, питає:

— Іване-князенку, чого ти плачеш?

— Як же мені не плакати: батько загадав нам із жінками на бенкет приїхати. Як же я тебе повезу?

— Не плач, — каже, — лягай та спи, якось поїдемо.

Він ліг, заснув.

От діждали того дня, що бенкет. Іван-князенко знов зажурився.

— Не журись, — каже, — Іване-князенку, їдь попереду сам! А як стане дощик накрапати, то знай — то твоя жінка дощовою росою умивається; як блискавка заблискає — то твоя жінка в дороге вбрання зодягається; а як грім загримить — то вже їде.

Іван-князенко убрався, сів та й поїхав. Приїздить, аж старші брати зі своїми жінками вже там. Самі повбирані гарно, а жінки у золоті, в оксамиті, у дорогих намистах. Брати стали з нього сміятися:

— Що ж ти, брате, сам приїхав? Ти б її хоч у хустку зав'язав та привіз.

— Не смійтесь, — каже, — вона потім приїде.

Коли це став дощик накрапати. Іван-князенко й каже:

— Це моя дружина люба дощовою росою умивається!

Брати з нього сміються:

— Чи ти, — кажуть, — здурів, що таке торочиш?

Коли це блискавка блиснула. Іван-князенко й каже:

— Це моя дружинонька в дороге вбрання зодягається!

Брати тільки плечима стенають: був брат такий, як і треба, а то здурів.

Коли це як зашумить, як загримотить грім, аж палац затрусився, а князенко й каже:

— Оце ж уже моя голубонька їде!

Коли ж приїжджає під ґанок бричка з шестерма кіньми — коні гарцюють, як змії! Вийшла вона з брички... Аж потоpопіли всі — така гарна!

От посідали обідати: то князь і княгиня, й обидва старші брати, і сам Іван-князенко й не надивляться на неї: така гарна, така гарна, що й сказати не можна! Обідають, то вона оце шматочок у рот, шматочок у рукав; ложку в рот, ложку в рукав. А ті невістки дивляться на неї та й собі — ложку в рот, ложку в рукав, шматочок у рот, шматочок у рукав.

Ото пообідали, вийшли в двір; почали музи́ки грати — батько став запрошувати в танець. Ті невістки не хочуть: «Нехай вона танцює!»

От вона як пішла з Іваном-князенком у танець, як зачала танцювати, то й землі не черкнеться — легко та гарно! А це: махнула правим рукавом — став сад, а в тому саду стовп і по тому стовпі кіт ходить: догори йде — пісні співає, а донизу йде — казки каже.

Танцювала, танцювала, далі махнула й лівим рукавом — у тім саду стала річка, а на річці лебеді плавають. Усі так дивуються тим дивом, як малі діти. От потанцювала вона, сіла спочивати; а тут і ті невістки пішли у танець.

Танцюють, танцюють, та як махнули правим рукавом — а звідти кістки вилетіли, та просто князеві в лоб; махнули лівим — князеві очі позабризкували.

— Годі, годі! Ви мені очі повибиваєте! — кричить князь.

Вони й перестали. А Іван-князенко дивиться на жінку та й собі дивується, як-таки з такої зеленої жаби та зробилась така гарна панна, що й очей не відірвеш!

Далі сказав дати коня, майнув довідатись, де вона все те понабирала.

Приїздить, пішов у світлицю, аж там лежить тулубець жаб'ячий. У грубі топилося; він той тулубець — у вогонь, тільки димок пішов!

Тоді знову сів на коня — і до батька. Саме поспів на вечерю. Довго вони ще там гуляли, аж перед ранком уже пороз'їжджалися.

Приїздять додому, вона ввійшла в світлицю, роззирнулася — аж кожушка й нема. Шукала-шукала...

— Чи ти, — питає, — Іване-князенку, не бачив моєї одежі?

— Якої?

— Тут, — каже — я кожушок скинула.

— Я, — каже Іван-князенко, — його спалив.

— Ох, що ж ти наробив мені, Іване! Якби ти не займав, то я б навічно була твоя, а тепер доведеться нам розлучитися, може, й навіки...

Плакала-плакала, кривавими слізьми плакала, а далі:

— Прощавай! — каже. — Шукай мене в тридесятому царстві, у баби-яги, костяної ноги!

Махнула руками, перекинулася зозулею; вікно було відчинене — полинула...

Довго Іван-князенко побивався за жінкою, довго плакав гірко, розпитувався, що йому робити? Ніхто нічого не радив. От узяв він лучок срібний, набрав у торбину хліба, гарбузи почепив через плече — пішов шукати.

Іде та й іде, зустрічає його дід, такий, як молоко, сивий, і питає:

— Здоров, Іване-князенку! Куди тебе Бог несе?

— Іду, — каже, — дідусю, світ за очі, жінки своєї шукати; десь вона у тридесятім царстві, у баби-яги, костяної ноги. Іду, та й не знаю куди. Може, ви, дідусю, знаєте, де вона живе?

— Чому, — каже, — не знати? Знаю.

— То скажіть, будьте ласкаві, й мені!

— Е-е, що тобі, синку, казати: кажи не кажи — не потрапиш!

— Потраплю не потраплю, а скажіть. Я за вас увесь вік буду Бога молити!

— Ну, коли вже, — каже, — так тобі треба, то от тобі клубочок: пусти його — куди він буде котитися, туди й ти за ним іди: саме дійдеш аж до баби-яги, костяної ноги.

Іван-князенко подякував дідові за клубочок, узяв його, пустив — клубочок покотився, а він — за ним. Іде та й іде таким густим лісом, що аж темно. Зустрічається йому ведмідь. Він наложив мідяну стрілку на срібний лучок — хотів стріляти. Ведмідь йому й каже:

— Іване-князенку, не вбивай мене! Я тобі у великій пригоді стану!

Він пожалів його — не вбив. Іде далі, вийшов на край лісу — сидить сокіл на дереві. Він наложив стрілку, хотів стріляти. Сокіл йому й каже:

— Іване-князенку, не вбивай мене! Я тобі у великій пригоді стану!

Він пожалів його, не вбив. Іде та й іде, клубочок попереду котиться, він позаду йде за ним, та й дійшов до синього моря. Бачить: на березі лежить щука, без води пропадає на сонці. Хотів її взяти та з'їсти, а вона й просить:

— Іване-князенку, не їж мене, кинь лучче в море. Я тобі за те у великій пригоді стану!

Вкинув він її у море та й пішов далі. Та зайшов отак аж у тридесяте царство. Коли стоїть хатка на курячій лапці, очеретом підперта, а то б розвалилася... Увійшов він у ту хатку, аж на печі лежить баба-яга, костяна нога, — ноги на піч повідкидала, голову на комин поклала.

— Здоров був, Іване-князенку! Чи по волі, чи по неволі? Чи сам від кого ховаєшся, чи кого шукаєш?

— Ні, — каже, — бабусю, не ховаюся, а шукаю жінку свою любу — жабу зелену.

— Знаю, знаю! — каже баба-яга. — Вона в мого братика Кощія Безсмертного за наймичку служить.

От Іван-князенко узявся просити, щоб сказала, де її брат живе. Вона й каже:

— Там серед моря є острів, а на тому острові його й палац. Тільки гляди, щоб тобі лиха там не було: як побачиш свою дружину, то хапай її швидше та й тікай з нею, не озираючись.

От він подякував бабі-язі та й пішов. Іде та й іде, дійшов до моря, глянув — кругом море, і кінця-краю йому не видно; і де той острів — хто його зна!..

От він ходить понад морем, голову похнюпив, журиться. А це випливає щука:

— Іване-князенку, чого ти журишся?

— Так, — каже, — і так: на морі є острів, та ніяк не можу туди дістатися.

— Не журись! — каже щука.

Ударила хвостом об воду — став такий міст, що й у князя нема такого: палі срібні, побічниці золоті, а поміст склом настелений, — як ідеш, то мов у дзеркалі.

Іван-князенко й пішов тим мостом та й дійшов аж на острів. А на тому острові та такий ліс густий, що ні пройти, ні просунутися, та темний-темний!

Іван-князенко ходить попід тим лісом та й плаче. А тут уже й хліба не стало. От сів він на піску та й зажурився. «Пропав!» — думає.

Коли це біжить заєць повз нього; тут де не взявся сокіл, ударив зайця, убив. Іван-князенко оббілував його, витер вогню деревом об дерево, спік того зайця, з'їв. От наївся та й думає: як його до палацу добутися? Знову ходить попід лісом; а ліс — сказано — просунутися не можна.

Ходив, ходив, коли — зирк! — аж суне ведмідь.

— Здоров, Іване-князенку! Чого ти тут ходиш?

— Хочу, — каже, — як-небудь у палац добутися, та ліс не дає.

— Я тобі допоможу! — ведмідь каже, та як візьметься дуб'я трощити; такі дуби вергає — по півтора обіймища! Вергав, вергав, аж утомився. Пішов напився води, та як зачав знову ламати! От-от стежечку проламає!.. Знову пішов — води напився, знову ламає. Та проламав стежку аж до палацу.

Пішов Іван-князенко тією стежкою — аж серед лісу така гарна долина, а на тій долині скляний палац стоїть. Заходить він у той палац: відчинив одні двері, залізні, — нема нікого; відчинив другі, срібні, — і там нема нікого; як відчинив треті, золоті, — аж там, за золотими дверима, сидить його дружина, і така зажурена, що й дивитися на неї страшно.

Як побачила Івана-князенка — так і впала йому на шию:

— Ти ж мій голубе сизий, як я за тобою скучила! Якби ще трохи — може б, ти мене більше й не побачив ніколи!

Аж плаче з радощів! А він уже й не знає, чи на цім, чи на тім світі. Обнялись, поцілувалися; вона перекинулася зозулею, взяла його під крило — полетіли.

От прилетіли додому, вона знову перекинулась людиною та й каже:

— Це ж мій батенько мене прокляв та віддав змієві аж на три роки на послуги; тепер же я свою покуту вже відбула.

От увійшли вони до свого палацу та й стали гарно собі жити і Бога хвалити, що їм помагав.

ЯК ЛИСИЧКА ЛЕВА ОДУРИЛА

Колись давно у наших лісах з'явився лев, та такий величезний і грізний, що, бувало, як зареве, то всі звірі тремтять, як осикове листя. Лев як побіжить, бувало, по здобич, то всіх, хто траплявся йому на дорозі, розривав на шматки. Наскочить, бувало, на табун диких свиней і всіх подушить, мало яка втече од його. Хоча з'їдав він тільки когось одного. Звірі з переполоху не знали, що їм робити.

Зібрали вони громаду та й почали радитись. От ведмідь і каже:

— Знаєте що, браття? Лев щодня роздирає нас не менше як по десять штук, а з'їдає він мало — одного-двох, не більше, а останні гинуть марно, бо він щоразу хватається за свіжину, вчорашнього не їсть. То чи не зробити нам так, щоб душив нас стільки, скільки йому треба для їжі, а намарно щоб не нищив звірів.

— О, піди спробуй побалакати з ним! — обізвався вовк. — Він наших речей і слухати не буде. А наших посланців розірве на шматки.

— Але спробувати треба! — обізвавсь ведмідь. — Тільки кого б нам послати?

— Хіба ти йди, ведмедю, — сказав вовк.— Ти більший за всіх і сильніший.

— Куди там моя сила годиться! Все одно я його не здолаю, він як кинеться на мене!.. Так що сила моя тут ні до чого. Краще ти, вовче, йди, ти неначе меткіший од мене.

— Що з того, що я меткіший? Гадаєш, я встигну втекти од його, коли він кинеться за мною? Тут треба придумати щось інше.

Виступив наперед олень та й каже:

— Знаєте що, панове? Тут треба знати, як до лева підступити, з чого розмову почати, щоб він одразу не розгнівався.

— Ну, то йди ти, оленю, раз ти такий розумний.

— Та я сам за це не візьмуся, я лише так кажу, що з царем балакать попростому не можна, бо це не з своїм братом.

— А кого ж ми маємо послати, на твою думку?

— Та, по-моєму, найкраще послати лисицю. Вона здатна на хитрощі, може, вона зуміє підлащитись до лева і розтовкмачить йому, у чому справа.

— Добре ти придумав! — гукнули всі звірі.— Вона зуміє до нього підійти!

Позвали лисицю. Ведмідь і каже:

— Лисичко! Тут громада поклала, щоб ти йшла до царя та побалакала з ним, чи не погодиться він, щоб ми самі постачали йому їжу, а то ж сама бачиш, що він усіх нас перепотлоґáрить*.

— А що ж, хіба я у Бога теля з'їла? Хай іде хтось інший. А як ніхто не хоче, то кинемо жереб — кому випаде, той і піде.

*понівичить

— Ні, лисичко, так не буде діла, — каже ведмідь. — А як випаде тому, хто не зуміє й слова промовить, що ж воно буде? Він там з переляку наварнякає казна-чого і замість того, щоб випрохати в нього милості, лев іще дужче розгнівається на нас. Громада вирішила послати тебе, лисичко, а як не хочеш, то пошкодуєш!

Лисиця й засумувала — не знає, що й робити. Не піти — біда, і піти — теж не мед. Думала-думала, а далі й каже:

— Ну, панове, піду, спробую щастя: видно, доля моя така...

Пішла лисиця, похнюпивши голову. Дорогою вона всі хитрощі перебрала, все приладжувала, яка з них дужче підійде до діла.

У лисиці душа втекла в п'яти, коли вона наблизилась до лева, а він вийшов зі своєї палати, настовбурчив гриву, вискалив зуби і закивав хвостом.

Лев здивувався, що така невеличка звірина так сміливо йде до нього. Став та й чекає, що воно далі буде.

Лисиця підійшла до лева сажнів на п'ять, низько поклонилась та й почала:

— Ваша вельможність, не веліть карати, а веліть слово мовити!

— Ну, кажи, я послухаю.

— Громада звірів доручила мені передати вашій вельможності, що ми тепер, якщо буде ваша ласка, хочемо самі щодня постачати вам їжу. Скільки зволите, по стільки й будемо приносити. Громаді соромно, що цар сам собі їжу добуває.

— Добре ви придумали, молодці, хлоп'ята! Для мене так буде краще і для вас гарно. Бо, знаєте, у мене така натура, що як піду на полювання, то не стільки з'їм, як подушу. А так буде і вам спокій, і мені.

— А по скільки звірів накажете приносити і в яку пору дня зволите трапезувать?

— Звірів посилайте мені раз у день, ополудні. Їжі мені небагато треба, я на день з'їдаю не більше двох зайців, а вовка чи кабана на два-три дні вистачить. А коли забажаю з'їсти більше, я дам вам знати.

Лисиця низько вклонилась леву й побігла до громади. Прибігає, а всі звірі вже в зборі — кожному кортить дізнатися, що і як.

— Ну, браття, — каже лисиця, — справи наші несогірші: лев погодився, щоб ми йому самі їжу постачали, тепер він не буде нас марно душить.

Усі зраділи, та все ж тривога далеко од серця не одкочувалась. У кожного душа холола, як думав, що нині-завтра прийде його черга іти до лева в лапи. Стали вони думати-гадати, кого послати цареві на обід. Вовк і каже:

— Давайте покладемо так: нехай до лева ті йдуть, у кого хвоста нема. А як лев переведе всіх куцих, тоді настане черга довгохвостих.

— Е, вовче, так я не згоден, — обізвавсь ведмідь, — бо я теж куций, і олень куций, він теж супроти сього буде. Краще нехай навпаки — спершу хвостаті, а потім куці.

Коли це обізвалась лисиця:

— От що, панове-браття, щоб не було образливо ні тим, ні сим, покладемо так: нехай до лева ті йдуть, хто не здатен до роботи — старі, які уже на світі нажилися, або ті, у яких хвоста нема не од природи, а з якоїсь іншої причини, а ще сліпі, криві, безногі, або ті, що були поранені мисливцями.

— Отак добре буде! — обізвався ведмідь. — Молодим, здоровим треба жити й жити, а старим і калікам все одно пора вже їхать — як не нині, то завтра.

Так вони й постановили. Щодня одбирали немічних звірів і посилали їх цареві.

Минув місяць, минув другий, перевели всю каліч, лишилися тільки здорові та молоді. Що робити? По своїй волі ніхто не хотів іти на смерть. Кожному хотілося жити і кожен тремтів за свою шкуру. Треба знову громаду збирати.

Зійшлися всі звірі та й почалося:

— Ну, що ж ми тепер будемо робить? Нумо кидати жеребки, кому випаде йти до царя.

А лисиця каже:

— З жеребками, панове-браття, ми ще встигнемо — і на те пора буде, а тепер давайте переводить калік.

— Яких калік? — питають інші звірі. — Уже ж їх нема.

— Та хіба ж ви не бачите, — каже лисиця, — що у зайців задні ноги вдвоє довші за передні, вони не можуть ходити так, як усі звірі ходять, а підкидають їх разом із задком. Хіба ж це, по-вашому, не каліки?

— Та це таки правда, — зраділи звірі. — Отже, нехай ідуть до царя зайці.

Зайці одмагались, що у них ноги такі од природи, що так їм Бог дав. Та куди там — звірі й слухати не схотіли. Пригрозили зайцям:

— Не підете до царя, то ми вас самі розірвемо.

Зайцям хоч і не хотілося йти на вірну смерть, та нікуди дітись.

Минув місяць чи два, лев перевів багатьох зайців — тих, які в інші ліси не поховались. Знову нікого посилать до царя.

Зібралися звірі та й поклали посилати цареві тих, у кого найдовші вуха. Уже намірились було приміряти паличкою, у кого з-поміж них найдовші вуха, але згадали про осла. Відшукали його, привели в громаду та й кажуть:

— Так і так, таких, як у тебе, вух ні в кого нема — твоя черга йти до нього.

Каже осел:

— Що це ви, браття, вигадали? Так-бо несправедливо. Краще кинемо жеребки. Як випаде на мене, то я й піду, а так не піду.

— Ну, ти, осле, не патякай — як громада поклала, так і буде.

— То що ж ви, панове, не по правді судите? Ви спочатку калік усіх переведіть.

— А де ж ти бачиш калік?

— Та хіба ви не бачите, що в лисиці хвіст обідраний.

Усі кинулись до лисиці — дивляться, коли й справді: на кінчику хвоста у неї пролисина з куряче яйце завбільшки. Ведмідь і каже:

— Ну, лисичко, нічого не вдієш, тепер твоя черга.

— Та як це так, панове-браття? Порішили йти ослові, а тепер міняєте своє слово та й хочете мене погнати?

— Та ж ти скалічена, у тебе хвіст обідраний — мусиш іти.

— Ні, у мене все добре, це в мене родимка така.

— Ну, не одбріхуйся, лисичко, у тебе таки не все гаразд, отже, твоя черга йти до лева.

— Як вам не гріх на мене показувать? Я ж випросила у лева, щоб він вас не нищив, а ви, бач, випихаєте мене на погибель?

— Ну, нічого робити, — обізвалися звірі. — Колись нам усім доведеться погибати.

Не хочеться лисичці йти на вірну смерть, а мусить — бо як не піде, то тут-таки розірвуть її за непокірність. От пішла вона та й журиться дорогою:

«І чого я, дурна, ходила до лева на свою голову? Могла б собі жити так, щоб не трапляти йому на очі, а коли б і трапила — загинула б в одну хвилинку, не встигла б і страху набратись. А тепер мушу душею томитися цілих півдня, поки дійду до його та поки він мене задушить. Краще б на світ не родитися або зараз же крізь землю провалитись, щоб не терпіти такої муки».

Лисиця ледве йшла, ноги їй підкошувались, і все думала, як би їй од смерті відкрутитися. Довго никала по лісу: то сюди, то туди поверне. Коли це натикається на колодязь. Думає: «Краще вже втоплюся, ніж живою оддамся в зуби тому кровопивці».

Підійшла до колодязя, обійшла кругом, понюхала, заглянула вглиб, а там вода далеко-далеко. Придивилася, а там теж лисиця дивиться на неї. Кивнула вона головою — і та кивнула; вона язик висолопила — і та язик висолопила.

«Е! Стій, це ж моя подоба. Недарма ж кажуть: подивись у воду на свою вроду. Спробую я одурить лева — може, він цього не знає, от і піймається!»

Повеселіла лисичка та й пішла прямісінько до лева. Лев грізно заревів:

— Що це ви смієтеся з мене, чи що?! Уже вечоріє! Хочете мене голодом заморить? Я змилостивився над вами, а ви вже зазнались, знать мене не хочете! Мені недовго пробігти лісом і всіх вас розірвати на шматки!

Лисиця низько вклонилася та й каже:

— Ваша милість, не моя в тім вина, і звірі не винні. Стривайте, я вам розповім, чому я забарилася. Звірі послали нас аж трьох — двох зайців і мене — ще з самого рання. Коли це перестрів нас якийсь звір, схожий на вашу світлість, та й питає:

— Куди ви йдете?

А я кажу:

— Йдемо до царя, нас звірі послали, щоб він нашим м'ясом пообідав.

А звір той як закричить:

— Який там цар? Я — цар, мені всі підкоряються! Я вас не пущу, ви — мої!

— Та як же так? — кажу я йому. — Цар нас чекає, сьогодні він іменинник, не гоже зоставить його голодним. Він на нас розгнівається і всіх розірве.

— Яке мені до того діло, що він цар? Я й сам його з'їм, як захочу! — кричить. Довго я умовляла його, щоб він одпустив хоч мене — ледве одпросилась.

Лев роз'ярився, навіть забув про те, що він голодний, і грізно спитав:

— Де той звірюка живе?

— Та там, у камінній палаті.

Лев підхопивсь та як зареве, аж луна пішла по лісі, наче на тому кінці лісу другий лев заревів. Лисиця й каже:

— О, ваша милість, чуєте, як заревів? Це він вас дратує.

Лев іще дужче розлютився:

— Та я його, плюгавця, на шматки розірву! Як він сміє мені перечить? Це мій ліс! Ходімо швидше, покажи мені, де саме він живе.

Лисиця повела лева до того колодязя. Підійшли до колодязя, лев і питає:

— Де він, покажи мені.

— Він тут, — каже лисиця, — ось у цій кам'яній палаті. Тільки я боюся близько підходити, бо він мене з'їсть. Ви самі подивіться.

Лев підійшов, глянув у колодязь — а відтіля дивиться на нього такий самий лев. Він вискалив зуби — і той лев вискалив зуби. Лев тоді ще дужче заревів і прямо з розгону плигнув у глибоченний колодязь — шубовсь! Бовтався там, бовтався, поки й захлинувся.

А лисиця прибігла до звірів така весела, що звірі одразу здогадалися, що вона несе якусь радісну вістку. Питають:

— Ну, що — ти була в лева чи зовсім до нього не ходила?

— Ходила, ходила. Нема тепер більше лева — він утопився, я його одурила.

— Як одурила?

Вона їм розказала все, як було. Звірі з радості аж підскакували. Не можна було й пером описать їхньої радості. Тільки не довго вони раювали. Пан, котрий жив недалеко від лісу, як дізнавсь, що лева нема, то почав навідуватися в ліс із мисливцями. Звірі знову засумували і не раз між собою журилися: «Коли вже ми будемо жити спокійно? Як лев був живий — чоловік боявся показуватись у ліс, а тепер чоловік нас кривдить. От гарно було б, якби й лев був живий, і щоб нас не займав!..». Але такого не буває навіть у казці.

КАЗКА ПРО ЛИПКУ І ЗАЖЕРЛИВУ БАБУ

Були собі дід та баба. І були вони дуже вбогі. От баба й каже:

— Ти б, старий, пішов у ліс та вирубав липку, щоб було чим протопити.

— Добре, — каже дід. Узяв сокиру та й пішов у ліс.

Приходить до лісу, вибрав липку. Тільки що замахнувся сокирою, щоб рубати, коли чує — липка заговорила людською мовою:

— Ой, не рубай мене, чоловіче добрий, я тобі в пригоді стану!

Дід з переляку й сокиру опустив. Постояв, подумав та й пішов.

Приходить додому, розповідає про свою пригоду. А баба:

— Ох, який же ти дурень! — каже. — Піди зараз же до липки та попроси конячку з возом.

— Як так, то й так, — каже дід. Натягнув шапку та й пішов.

Приходить до липки:

— Липко, липко, казала баба, щоб ти дала конячку з возом.

— Добре, — каже липка.

Приходить дід додому, а біля хати стоїть віз і конячка.

— Бач, старий, — каже баба, — тепер і ми люди. От тільки хата наша ось-ось завалиться. Піди попроси ще й хату — може, дасть.

Пішов дід, попрохав і хату.

— Добре, — каже липка, — іди.

Приходить дід до двору і не пізнає: замість старої хати — нова, гарна хата. Радіють обоє, як діти.

— А що, старий, якби ти попрохав ще й худоби та птиці?

Пішов дід до липки, попросив худоби й птиці.

— Добре, — каже липка.

Приходить дід і не натішиться. Повен двір худоби і птиці.

— Ну, тепер уже нам нічого не треба, — каже дід.

— Ні, старенький, ще піди попроси грошей.

Пішов дід до липки і попросив грошей.

— Добре, — каже липка, — іди.

Приходить дід, а баба за столом золоті гроші в купки складає.

— Ой, старий, які ми тепер багаті! — каже баба. — Але того мало, треба ще, щоб усі люди нас боялися, бо ми ж багачі. Піди, старий, до липки та попроси, нехай поробить так, щоб нас усі люди боялися.

Пішов дід до липки, попрохав, щоб зробила так, як баба казала.

— Добре, — каже липка, — іди додому.

Прийшов дід додому, а там повно війська, і все їх охороняє.

— Що ж, — каже стара, — треба ще, щоб усі люди в селі були нашими слугами.

Пішов дід до липки та й просить, щоб зробила вона так.

Довго липка мовчала, а далі й каже:

— Іди додому, зроблю ще вам останнє.

Приходить дід додому, аж глядь — нічого нема: стоїть та сама стара хата і баба коло неї. Так покарала їх липка за те, що ненажерлива баба хотіла людей слугами зробити.

ЗОЛОТИЙ ЧЕРВІНЕЦЬ

У багатого батька був один син, а батько нажив свої статки неабияк, а таки чесно: багато поту вилилося з нього, багато нервів порвалось, поки заблищали у нього в кишені червінці. Синові ж про те все було байдуже: він виріс серед червінців, то вони йому наче й не дорогі були. Як дасть батько, то він так і сіє грішми, як половою, аж слід його сяє.

Дививсь-дививсь на це його батько і гірко йому було, що син робити не хоче, а заробленим батьківським добром так нехтує. Уже й казав, і вмовляв — нічого не вдіє. Ото й надумався батько...

Пішли якось вони з сином до річки, посідали, балакають. Іде якийсь чоловік і несе горобця застреленого. І заманулося синові нащось горобця того купити — зараз і виймає золотого червінця.

— Ні, — каже батько, — дай сюди.

Син дає. Батько замірився рукою на річку, ніби хоче золотого кинути, а синові й байдуже. Батько вдруге замірився. Син — нічого. Узяв тоді батько та й кинув у воду червінця. Син навіть і не спитав, навіщо він так зробив, а зараз поліз у кишеню та й вийняв другого червінця.

Бачить батько, що лиха година, та й каже синові:

— Ось віддай мені капшука з грішми!

Син дає. Тоді батько й каже:

— Іди ж ти так, як оце є, та й зароби червінця. Як заробиш — тоді приходь і посядеш моє господарство. А як ні, то, Господь з тобою, — краще я на сиріт віддам.

Син аж засміявся.

— Піду! — каже.

А сам думає: «От смішний батько: чи то диво — червінця заробити?!»

Пішов він. Ішов довго чи ні та й замисливсь: «А що ж я вмію робити?». Ходить містом, роботи шукає. Та куди не піткнеться — скрізь не треба. А тут уже й їсти хочеться. Продав він кожушинку — ходить у легенькому, а вже холодна осінь.

Прийшов до крамниці, проситься в крамарчуки. Питаються в нього:

— Де ви бували? Що знаєте?

— Я, — каже, — жив біля батька, був коло господарства...

— Та й тільки? — дивуються вони. — Не треба нам таких. Хіба б узяти вас за попихача, та ви більше з'їсте, ніж заробите.

Що його робити? А тут холодно, а тут їсти хочеться! Пішов він до Дніпра — там кораблів та всяких суден без ліку стоїть. Нічого робити — найнявся він лантухи тягати. Мов та лозинка від вітру гнеться він під тими важезними лантухами — ноги трусяться, голова горить. Увечері з незвички як упав на вулиці, так і заснув. Ледь не замерз.

На другий день — те ж саме, на третій, на четвертий — таке саме. Він уже й недоїдає і недопиває, щоб більше грошей зоставалось, а ще далеко до золотого, бо й плата мала, і сили в нього небагато.

Робить — і так цілу осінь і зиму проробив. І вже аж на весну зібралося в нього стільки грошенят, що виміняв він на них золотого.

Тоді йде до батька. Прийшов, аж батько стоїть біля млина, якраз біля річки.

— Здорові були, тату!

— Здоров, синку! — каже батько. — Ну, то як — приніс?

Лізе син у кишеню та потихеньку, наче скляне, виймає червінець, завернений у ганчірку, а потім ще й у папірець, та й боїться давати батькові.

Узяв батько, покрутив того золотого в руках та як заміриться на річку... Син ізблід, наче сам не свій, та як ухопить батька обома руками за руку, як крикне:

— Ой таточку, таточку!..

Тоді батько засміявся й каже:

— Ну, синку, тепер я бачу, що ти знаєш почому ківш лиха. Знаєш, як дістається той золотий червінець. Ось тепер ти мені син і моє господарство тобі буде.

Ото відтоді й перестав син грішми розкидати — такий працьовитий та хазяйновитий зробився, що батько з матір'ю й не натішаться.

Ось і казочці кінчик, а хто слухав — тому червінчик.

ІВАН ГОЛИК ТА ЙОГО БРАТ

Десь-не-десь, може, таки в нашій державі, жив князь із княгинею, і було в них два сини.

От князь і каже своїм синам:

— Ходім зі мною до моря: послухаємо, як морські люди пісні співатимуть.

От вони й пішли.

Ідуть гаєм. Князь і захотів вивідати у своїх синів: котрий з них на відшибі буде, а котрий на його князівстві залишиться. Ідуть гаєм, коли ж стоїть три дуби, князь глянув та й питає старшого сина:

— Сину мій любий, що б із цих трьох дубів було?

— А що ж, — каже, — батечку? Була б із них добра комора!

— Ну, — каже, — синку, ти будеш добрий господар!

Тоді питає й меншого:

— Ну, а ти синку, що б із цих дубів зробив?

— Батьку мій любий! — каже. — Коли б мені була воля та сила, я б третього дуба зрубав та переклав на ті два, то половину князів та боярів вивішав би, щоб не сварилися поміж себе, хто з них найстарший і кому належить у Києві сидіти.

Князь почухав голову й замовк.

От прийшли до моря, стали всі милуватися, як риба грає, а князь узяв та меншого сина й пхнув у море.

— Пропадай же, — каже, — краще сам, ледащо!

Тільки що батько сина у море пхнув, кит-риба того сина зараз і вхопила. От він у тій рибі й ходить.

Давай та риба хватати й ковтати вози з волами й кіньми. Ходить він у рибі, перешукує, що є у возах, тим і харчується, та якось і знайшов в одному возі люльку, тютюн і кресало. Узяв, у люльку тютюну наклав, викресав вогню та й курить. Одну люльку викурив, наклав другу — викурив, наклав і третю — викурив.

От та риба від диму й зачамріла, припливла до берега й заснула.

А на березі ходили мисливці. Побачили ту рибу та давай її стріляти. От стріляли її, стріляли, потім познаходили сокири й заходилися її рубати.

Рубали-рубали, коли ж чують — кричить щось у ній усередині:

— Гей, братця! Рубайте рибу, та не зарубайте крові християнської!

Вони з ляку як кинуться! — та й повтікали.

От він у дірку, що мисливці прорубали, виліз, вийшов на берег та й сидить. Сидить собі голий — бо на ньому все, що було, вбрання погнило вже, — може, він і цілий рік був у рибі.

Думає собі: «Як мені тепер у світі жити?»

А той старший брат уже сам князює. Батько помер, то він і зостався князювати у всій державі. І надумав він женитися. Їде шукати собі дружби, а за ним — великий весільний поїзд.

От їде той князь, коли ж сидить голий чоловік.

Посилає він слугу:

— Іди, — каже, — спитай, що то за чоловік?

Той приходить, поздоровкалися.

— Що ти, — каже, — таке?

— Я — Іван Голик. А ви хто такі будете?

— Ми з такої й такої землі, їдемо шукати своєму князеві дружби.

— Піди ж ти своєму князеві скажи, що без мене він не посватається.

Той вернувся до князя — так і так.

Зараз князь наказав своїм слугам відімкнути скрині, вийняти йому сорочку і ввесь пишний одяг. От одягнули його, привели до князя, він і каже князеві:

— Уже ж коли взяли ви мене з собою, то усі мене й слухайте, бо пропадемо!

От їдуть собі, коли це — мишаче військо. Князь хотів так по мишах і йти, а Іван Голик:

— Ні, — каже, — підождіть, дайте мишам дорогу, щоб не зайняти жодної миші.

Тут усі набік і звернули. Задня миша обернулася та й каже:

— Ну спасибі тобі, Іване Голику. Не дав ти моєму військові пропасти, не дам я й твоєму!

Їдуть далі, коли це — іде комар зі своїм військом, що не можна й очима глянути.

Надлітає камарський полковник:

— Гей, Іване Голику, дай моєму військові крові напитися! Як даси, то ми тобі у великій пригоді станемо.

Іван Голик зараз сорочку з себе скинув і велів себе зв'язати, щоб, бува, не вбити жодного комара. Комарі нассалися й полетіли.

От ідуть вони далі понад берегом, коли бачать — чоловік піймав дві щуки в морі. Іван Голик і каже князеві:

— Купім оті дві щуки в чоловіка та й пустім у море назад.

— Нащо?

— Не питай нащо, а купім.

Купили ті дві щуки і назад у море пустили. Щуки обернулися та й кажуть:

— Спасибі тобі, Іване Голику, що не дав нам пропасти. Ми тобі у великій пригоді станемо.

І не так-то хутко діється, як швидко в казці кажеться. Ідуть вони, може, з тиждень, і приїжджають у іншу землю, у тридев'яте царство, в іншу державу.

А в тому царстві царював змій. Будинки видно великі, а двір кругом обставлений залізними палями, і на кожній палі усе понастромлювано різного війська голови, а коло самих воріт на дванадцяти палях нема голів.

Стали вони доходити і стала князеві туга до серця приступати.

Каже князь:

— А на цих палях, Іване Голику, чи не стриміти нашим головам?

— Побачимо! — каже.

Приїхали туди, коли ж змій зустрів їх наче й добрий: прийняв за гостей, звелів увесь поїзд нагодувати, а князя забрав із собою та й повів у будинок. П'ють собі там гуляють, хороші мислі мають.

А в того змія та дванадцять дочок як одна. І вивів їх змій до князя і розказав, котра старша, а котра підстарша, і так до останньої. От найменша найбільше князеві під норов підійшла. Гуляли вони до вечора.

Увечері змій князеві й каже:

— Ну, котра дочка найкраща?

— Найменша мені найкраща, найменшу буду сватати.

Змій каже:

— Добре, тільки я дочки не віддам, поки не зробиш усього того, що я тобі буду загадувати. Як поробиш усе, то віддам за тебе дочку, а не поробиш, то загубиш свою голову, і поїзд твій увесь тут поляже. — І наказує йому:

— У мене є на току триста скирт усякого хліба. Ото щоб той хліб до ранку був увесь перемолочений. І щоб було так: солома до соломи, полова до полови, зерно до зерна.

От князь іде до своїх та й плаче. Питає Іван Голик:

— Чого ти, князю, плачеш?

— Як же мені не плакати? От те і те загадав мені змій.

— Не плач, князю, лягай спати. До ранку все буде зроблено.

Як вийде Іван Голик надвір, як свисне на мишей!.. Де ті миші й понабиралися! Та й питають:

— Нащо ти нас, Іване Голику, кличеш?

— Як мені вас не кликати? Загадав змій, щоб усі скирти, що в нього на току, до ранку перемолотити, і щоб солома до соломи, полова до полови, зерно до зерна було.

Як запищать ті миші, як мотнуться на тік! Зібралося їх стільки, що й ступити ніде. Як узялися робити — іще й на світ не поблагословилося, а вони вже й скінчили. Пішли, Івана Голика збудили.

— Ну, тепер же ми тобі, Іване Голику, відслужили, — кажуть.

Коли це виходить князь. Прийшов, і дивується, що так усе зроблено, як змій казав; дякує Іванові Голикові та й іде до змія. Вертається удвох із змієм. І дивується сам змій. І покликав дочок, щоб пошукати в соломі зерна, чи не відірваний де колосок. От дочки шукали-шукали — нема. Каже змій:

— Ну, добре, ходім: до вечора будемо пить-гуляти, а ввечері знов роботу загадаю на завтра.

От догуляли до вечора, змій і загадує:

— Сьогодні вранці найменша дочка моя в морі купалася та впустила перстень у воду; шукала-шукала — не знайшла. Як знайдеш та принесеш, поки завтра сядемо обідати, то живий будеш, а не знайдеш, то тут вам і амінь.

Князь іде до своїх та й мало не плаче. Іван Голик і каже:

— Бреше змій: то він сам у дочки перстень узяв і сьогодні рано понад морем літав та той перстень і вкинув. Лягай спати, князю, а я завтра піду до моря, спробую його дістати.

Назавтра вранці приходить Іван Голик до моря — як крикне богатирським голосом, молодецьким посвистом, так усе море й завирувало. Ті дві щуки припливли до берега та й кажуть:

— Нащо ти нас, Іване Голику, кличеш?

— Як мені вас не кликати? Змій сьогодні рано понад морем літав і вкинув перстень у воду. Шукайте всюди. Як знайдете, то буду я живий, а не знайдете, змій згубить мене зі світу.

Вони й попливли; і де вже не плавали, де вже не шукали — нема! Припливли до своєї матері:

— От таке й таке горе, — кажуть.

— Перстень той у мене, — каже мати. — Жаль мені його, а вас іще жалькіше, — та й викинула з себе перстень.

Тоді щуки припливли до Івана Голика й кажуть:

— От же тобі й наша відслуга. Насилу знайшли.

Іван Голик тим двом щукам подякував та й пішов. Приходить, аж князь уже ні живий ні мертвий, бо змій аж двічі присилав по нього, а персня нема. Як побачив Івана Голика, то аж підскочив:

— А що, перстень є?

— Є, — каже. — От же змій і сам іде.

Змій на поріг, а князь і собі — так і вдарилися лобами. Змій сердитий:

— А що, перстень є?!

— От він! Тільки не віддам тобі, а віддам тій, у кого ти взяв.

Змій осміхнувся й каже:

— Добре! Ходім же обідати, бо в мене є гості і давно тебе дожидаємось.

Пішли. Входить князь у будинок, коли сидить зміїв одина́дцять. Він давай з ними здоровкатись. Тоді підійшов до дочок, вийняв перстень та й питає:

— Котрої перстень?

Найменша почервоніла:

— Мій, — каже.

— Коли твій, то візьми, бо я все море вибродив, його шукаючи.

Усі засміялись, а найменша подякувала.

От пішли всі обідати. За столом, при гостях, змій і каже:

— У мене є лук у сто пудів. Як вистрілиш при всіх оцих гостях з того лука, то віддам дочку.

Князь швиденько до Івана Голика:

— От тепер, — каже, — і справді пропали: така й така річ!

— Не журися! — каже Іван Голик. — Як принесуть той лук, то ти подивися на нього та скажи змієві: «Я цим луком не хочу й соромитись; у мене кожен слуга із нього вистрілить». А тоді звели мене покликати. А я вже вистрілю так, що більш нікому не загадають.

Коли це виходить змій із гістьми, а за ним несуть лук і стрілу у сто пудів. Князь як глянув, то й злякався. Винесли лук надвір, і всі повиходили.

Князь кругом лука обійшов та й каже:

— Я цим луком не хочу й соромитись, а покличу котрогось із своїх слуг, то кожний із нього вистрілить.

Тут змії один на одного зглянулись та й кажуть:

— Ану-ну, нехай попробує.

Князь і гукає:

— А пошліть мені когось... От хоча б Івана Голика!

Той приходить. Князь і каже:

— Візьми оцей лук та вистріли.

Іван Голик лука підняв, стрілу заклав, та як вистрілить — то шматок у двадцять пудів і відломивсь од лука. Князь тоді й каже:

— От бачите? А якби оце я вистрілив, то ви б мене й осоромили.

Походили по саду, змій і каже:

— Ну, князю, вже після обіду поведу я своїх дочок надвір. Як пізнаєш, де найменша, тоді й весілля будемо гуляти.

Після обіду змій повів своїх дочок одягати, а князь пішов до Івана Голика на пораду. Іван Голик зараз засвистав — комар і прилетів. Він йому розказав усю пригоду.

Каже комар:

— Ти нам став у пригоді, то я й тобі стану. Як виведе змій своїх зміївен надвір, то нехай князь дивиться — я буду літати над її головою. Нехай обійде їх один раз — я буду літати, і другий раз обійде — я літатиму, а третій раз як буде обходити, то я сяду в неї на носі. Вона не стримається — й махне рукою.

Це сказавши, комар полетів у будинок. От присилає змій по князя.

Князь приходить, коли ж там стоять усі дванадцять дочок, і на них усе однакове — як лице, як коси, як одежа. Він на них дивився-дивився, дивився-дивився — ніяк не пізнає.

От перший раз обійшов — не побачив комара; другий раз почав обходити, коли це літає комар над головою. Він уже й очей не спускає з нього. Як почав третій раз обходити, той комар на носі в неї й сів. Вона рукою — мах! А князь за неї:

— Оце моя! — і веде її до змія.

Змій — нікуди дітися:

— Коли пізнав, — каже, — то сьогодні й зачнемо весілля гуляти.

От і повінчали їх. А тоді гуляли, з гармат стріляли і чого вже тільки не робили! А тоді поїхали в своє князівство та й стали собі гарно жити. А Івана Голика наставив князь своїм першим радником.

Живуть та черевиком добро возять. А якби вони зробили ківш, то ще б казки було більш.

КАЛИТОЧКА

Був собі чоловік та жінка, і була у них пара волів, а в їхнього сусіди — віз. Ото як прийде неділя або свято, то хтось із них бере волів і воза та й їде чи до церкви, чи в гості, а на другу неділю — другий, та так і ділились.

От жінка того чоловіка, чиї воли, раз йому й каже:

— Поведи воли та продай, справимо собі коня й віз, то будемо самі всюди їздити. Бо це ж, бач, сусіда свого воза не годує, а нам волів треба годувати.

Чоловік налигав воли та й повів.

Веде дорогою, аж доганяє його чоловік конем:

— Здоров!

— Дай, Боже, здоров'ячка!

— А куди це ти воли ведеш?

— Продавать.

— Поміняй мені за коня.

— Добре!

Віддав воли, сів на коня та й їде.

Від'їхав недалечко — зустрічає чоловіка, що жене корову:

— Здоров!

— Дай, Боже, здоров'ячка!

— А куди це ти їдеш?

— Коня продавать.

— Поміняй мені на корову.

— Добре!

Поміняв та й веде дорогою, аж на полі пасуться свині та вівці.

Зговорився він, виміняв корову на свиню, потім — на вівцю та й поспішає додому. Овечка гарна! Коли дивиться — річка, а на ній видимо-невидимо гусей.

Підійшов ближче, розбалакався з людьми, виміняв вівцю на гуску, та й пішов понад річкою і зайшов у село.

Аж стрічає жінку, поздоровкались, а та:

— А поміняй мені гуску на півня!

— Добре!

Поміняли́ся.

Іде далі, аж доганяє його чоловік:

— На продаж?

— Еге!

— А поміняй мені на калиточку.

— Давай.

Виміняв за півня калиточку та й поспішає додому.

Аж тут — річка широка розлилась. На березі стоїть перевіз, плату беруть, а в нього ж ні копієчки.

— А перевезете мене? Дам калиточку.

— Сідай!

Переїхав на другий берег.

А там стояла валка чумаків. Як розпитали ж вони його, за що він виміняв калиточку, сміються з нього.

— Що тобі, — кажуть, — жінка за це зробить?

— Аж нічого! Скаже: слава Богу, що хоч сам живий вернувся.

Та й побились об заклад. Коли скаже жінка так, то чумаки оддадуть йому дванадцять маж хури* з батіжками.

Зараз одібрали з-поміж себе одного найрозбитнішого та й послали його до баби. От той приходить:

— Дай, Боже, здоров'ячка!

— Дай, Боже!

**ма́жа* — чумацький віз; *ху́ра* — велика кількість чого-небудь. Тобто: дванадцять повних чумацьких возів.*

— А ти чула про свого старого?

— Ні, не чула.

— Він воли на коня проміняв.

— От добре, возик недорого коштує, як-небудь зберемось.

— Та й коня проміняв на корову.

— Це ще й краще, буде в нас молоко.

— Та й корову проміняв на свиню.

— І то добре, будуть у нас поросятка, а то чи заговляти, чи розговляться — все треба купити.

— Та й свиню проміняв на вівцю.

— І це добре, будуть ягнятка та вовночка, буде що мені у спасівку прясти.

— Та й вівцю проміняв на гуску.

— І це добре, будуть у нас крашаночки та пір'я.

— Та й гуску проміняв на півня.

— О, це ще краще — півень раненько співатиме і нас до роботи будитиме.

— Та й півня проміняв на калиточку.

— І це добре, будемо, де хто заробить — чи він, чи я — у калиточку складати.

— Та він і калиточку за перевіз оддав.

— Ну, що ж, слава Богу, що хоч сам живий вернувся.

То тим чумакам — нічого робити, віддали йому дванадцятеро маж хури з батіжками.

Та й казці кінець.

ПРО НЕВМИРАКУ

Жив собі один бідний-пребідний гуцул Василь. Мав він повну хатину дітей — аж десятеро. Тяжко було їх годувати, а ще тяжче одягати. Неборака завжди ходив голодний та обідраний.

Якось пішов він у ліс по дрова. Цілий день робив і так змучився, що ледве ноги волочив.

Сів собі спочити на дубовий пень, плюнув спересердя та й каже:

— Ех, до чорта з таким життям! Коли б уже смерть швидше прийшла. Десь її лихо ухопило, й вона не думає про мене.

— Я вже тутечки, Василю, — почувся старечий, страшенно охриплий голос, і хтось поклав йому на плече холодну кістляву руку.

Василь озирнувся й уздрів Смерть. Він так перелякався, що язик йому присох до піднебіння.

— Чого ти мене кличеш? — спитала його Смерть.

Василь розказав їй про свою біду.

— Не хочу більше жити. Нащо мені таке життя?

— Е, ні, Василю, вмирати не можна. У тебе ще купа малих дітей. Хто ж їх буде годувати? Ти стань моїм приятелем, а я поможу тобі вилізти з біди. Я зроблю з тебе дохтора. Будеш ходити селами й лікувати людей. За те будеш мати добру заплату.

— Який з мене дохтор! Я розуміюся на ліках, як баран на Біблії.

— Не треба розумітися, — відповіла Смерть. — Пам'ятай одне: я всюди буду з тобою. Але мене ніхто не буде видіти, лиш ти один. Коли я стану хворому в го́ловах, ти обійди ліжко три рази, а тоді кажи: «З вас, чоловіче, вже нічого не буде — треба вмирати». А коли буду в ногах, кричи весело: «Гого-го! Я тебе вилікую, добрий чоловіче! Ще будеш жити й жити!..»

Василь подивився на Смерть з недовірою:

— Я знаю, знаю, яка з тебе приятелька! Походиш трохи та й покинеш мене, як ганчірку на плоті.

Смерть підняла руку й сказала:

— Присягаю перед оцим старим дубовим пнем.

На другий день Василь узяв вузлувату палицю та й подався до хворого, якому лишилося три часниці до смерті.

— Я дохтор, — сказав жінці й дітям, що сиділи сумні на лаві. — Вийдіть надвір, щоб мені не заважали.

Коли всі вийшли, Василь глип — а Смерть стоїть у го́ловах.

Він узяв палюгу обіруч і як влупить її по плечах — аж задудніло.

— Ти чого, поми́йнице, стала в головах чесного чоловіка? Хіба не видиш, що в нього також є дрібні діти? Ану, стань там, де треба...

Смерть мовчки перейшла й сумирно сіла в ногах.

Василь обмацав хворого й сказав:

— За три дні підеш у поле орати.

Так і сталося: за три дні той чоловік орав і сіяв, а Василь пішов лікувати далі. Смерть уже ніде не ставала хворому в головах. Боялася, аби Василь не бив.

Відтоді двері в його хаті вже не зачинялися: люди з усіх сіл приходили просити рятунку. І ніде Василя не випускали з порожніми руками — давали йому всякого добра й дякували за поміч.

Смерть ходила з ним і тільки шморгала носом. Їй було не до шмиги таке приятелювання, але ж вона дала присягу перед дубовим пнем!

Одного дня каже Смерть Василеві:

— Ми товаришуємо уже купу років, а ти ще й раз не запросив мене на гостину.

— Приходь у неділю, — відповів Василь.

— Добре, прийду, — зраділа Смерть.

У неділю Смерть одягла білу сорочку й пошкандибала до приятеля.

Набулася, нагулялася, наспівалася.

Василь показав їй своє господарство і купу дрібних дітей, які росли вже в достатку.

Відтак спитав:

— А коли я маю загостити до тебе?

— Прийди другої неділі на те місце, де ми зустрілися вперше, — сказала Смерть.

Василь надяг новий сардак, солом'яний капелюх, узув новенькі постоли та й почвалав до Смерті в гостину.

Вона вже чекала на нього біля старого дубового пня.

Ішли темними лісами, глибокими ярами, гнилими болотами, перескакували прірви та безодні.

І от перед ними показався білий, як сніг, замок.

— Ото мій палац, — сказала Смерть.

У замку було багато гостей: королі, королевичі, міністри. Лиця в них були наче посипані муко́ю, а очі світилися, як ліхтарі.

Гості їли, пили, співали і скакали, як недорізані цапи.

— Дрантя! — сказав Василь. — Нема на кого дивитися. Покажи мені свої маєтки.

Смерть повела його по палацу.

Всюди Василь побував, у кожній кімнаті, лишень до одної Смерть його не пустила.

Це його розсердило:

— Відімкни кімнату, — сказав Василь, а сам пошкодував, що забув дома вузлувату палицю.

— Не можна.

— Не можна? Мені?! Тому, якому ти присягалася перед дубовим пнем? Відімкни по-доброму, бо нароблю гармидеру!..

Що було робити з таким напасним приятелем? Заскреготав ключ, і вони опинилися у величезній залі.

Василь аж рота роззявив...

Там горіли тисячі великих і малих свічок. Деякі лише почали горіти, а інші догоряли.

— Що це таке? — запитав Василь.

— Це свічки всіх живих.

— І моя тут є?

— Є й твоя.

— Котра?

— Ота, що догорає, — відповіла Смерть.

— А коли вона догорить — що буде зі мною? — запитав Василь.

— Тоді вмреш.

Василь засмутився...

А далі штурхнув Смерть у бік та й попросив:

— Будь добра, засвіти мені замість недо́гарка велику свічку.

— Ніколи в світі цього не зроблю! — сказала Смерть сердито. — Хто народився, той мусить і вмерти. На все свій час...

Василь прийшов додому блідий і зажурений.

Довго мовчав, а далі й каже:

— Моя свічка уже догорає.

— А чи не можна замінити її на іншу? — запитала жінка крізь сльози.

— Я просив, та Смерть і слухати не хоче.

Жінка почала голосити на всю хату.

— Сиди тихо, жінко. Я не боюся Смерті. Щось придумаю.

Три дні й три ночі Василь не спав і крихти в рот не брав.

Усе думав і думав.

А на четвертий день устав, засукав рукави і взявся майструвати незвичайне ліжко, що крутилося на місці.

Коли заслаб, ліг на своє хитре ліжко.

Глип — Смерть стоїть у го́ловах.

«Прийшла, псявіра!» — подумав Василь і повернув ліжко.

Смерть опинилася в ногах.

Постояла трохи й знову пішла в голови.

Василь далі — круть! — своїм ліжком.

Смерть почала його просити:

— Умри, Василю, бо вже настав твій час. Люди будуть сміятися з мене.

— Нема дурних, я вмру тоді, коли сам схочу. Іди до дідька, не суши мені голови!

— Добре, але знай: я більше не прийду! — образилася Смерть та й пішла з хати.

А Василь підвівся з ліжка живий і здоровий.

І прозвали його відтоді Невмирака.

Може, він ще й донині ходить нашими селами й містами і робить людям добро.

ХЛОПЧИКОВА МОЛИТВА

Один бідний парубок оженився на бідній дівчині. І народився у них хлопчик. Прожили вони два роки і той молодий батько вмирає від сухот. Лишилася мама з дитиною сама. Ходила по людях — косила, жала, тяжко працювала. А через чотири роки вмирає й вона.

А жили вони з сином у чужих людей. І лишився той хлопчик круглим сиротою, і нема йому де й голову прихилити.

А поблизу жив один ґазда. І взяв він того хлопчика пасти худобу. Хлопець пас худобу і в того ґазди жив.

Зраненька, виганяючи корів та овець, він завжди хотів помолитися. Знав, що люди моляться, але не вмів ніякої молитви. І став він молитися по-своєму. Як вдавалося йому зробити щось добре, казав: «Це тобі, Боже». А як щось не виходило, то казав: «Це мені, Боже».

І так він собі й грався в полі коло худоби. От викопає ямку, відійде від неї, розженеться і скаче. Як перестрибне — «Це тобі, Боже», — каже. А як недострибне і скочить у ямку — «Це мені, Боже». Отак він молився.

А один священик з кучером їхали на хутір когось там сповідати. Проїжджають вони попри того хлопчика і чують, як він бавиться.

Стенули плечима і мовить священик до кучера:

— Іване, ану стань.

А хлопчик їх не бачить і далі собі грається.

— Слухай, дитино, — підкликав його священик, — що ти таке робиш?

— Та розумієте, — каже хлопчик, — я не вмію молитися, а дуже хочу. Мій ґазда — поляк, і не знає української молитви. От я й придумав молитися по-своєму.

— А як ти молишся?

— А отак: як скочу добре, то кажу: «Це тобі, Боже». А як погано — «Це мені, Боже». Отак і молюся.

А священик:

— Ні, ти так не молися. Молитися треба отак — та й проказав йому справжню молитву.

Хлопець повторив її раз, і ще раз...

Тим часом священик з візником поїхали собі на хутір. А до хутора треба було їхати колом, об'їжджаючи широке озеро. Об'їхали вони, може, з кілометр.

А той хлопчик хотів молитися, як навчив його священик, але побіг завертати худобу і молитву забув. Хоче запитати священика, але бачить, що дорогою по колу його вже не здожене. Треба бігти навпростець по воді. А те озеро на самій середині було таки глибоченьке.

От біжить хлопчик по воді та й гукає:

— Станьте, станьте! Дуже вас прошу! Я забув молитву! Зачекайте!

Як добіг до середини озера, то мав лізти в глибоку воду. А він не тоне, біжить зверху по воді.

Перебіг озеро та й каже:

— Станьте! Зачекайте! Я трошки забув молитву!

А священик з кучером як побачили, що хлопчик біжить зверху по воді, то так і остовпіли з подиву. Спинилися й стоять.

Підбігає хлопчик:

— Отче, я забув молитву.

А священик:

— Хлопчику, знаєш що? Ти молися так, як молився. Твоя, — каже, — молитва не гірша за нашу. Тому ти й біжиш зверху по воді. Молися так, як умієш. А ту молитву я тобі перепишу й передам. Залишайся з Богом!

Так закінчується наша казка. А хто її слухав — тому бубликів в'язка.

Був собі чоловік і мав шестеро синів та одну дочку. Пішли сини в поле орати і наказали, щоб сестра винесла їм обід. Вона й питає:

— А де ж ви будете орати? Я не знаю.

Вони кажуть:

— Ми будемо тягти скибу від дому аж до тієї ниви, де будемо орати, то ти за тією борозною і йди.

Поїхали. А змій, що жив за тим полем у лісі, узяв ту скибу закотив, а свою протяг до своїх палаців.

От сестра як понесла братам обідати, то пішла за тією скибою, і доти йшла, аж поки зайшла до змієвого двору. Там її змій і вхопив.

Поприходили сини ввечері додому та й кажуть матері:

— Цілий день орали, а ви нам не прислали обідати.

— Як то не прислала? — каже. — Та ж Оленка понесла. Я думала, вона з вами вернеться. Чи ж не заблукала?

Брати й кажуть:

— Треба йти її шукати.

Та й пішли всі шестеро за тією скибою і зайшли аж до того змієвого двору, де їхня сестра була. Приходять туди, аж вона там.

— Братики мої милі, де ж я вас подіну, як змій прилетить? Він же вас поїсть!

Коли це й змій летить.

— А-а-а, — каже, — людським духом пахне! А що, хлопці, битися прийшли чи миритися?

— Ні! — кажуть. — Битися!

— Ходім же на залізний тік!

Пішли на залізний тік битися. Не довго й бились: як ударив їх змій, так і загнав у той тік. Тоді забрав їх ледве живих та й закинув до глибокої темниці.

А той чоловік та жінка ждуть та й ждуть їх — нема.

От одного разу пішла та жінка на річку прати, коли ж котиться горошинка по дорозі. Жінка взяла горшинку та й з'їла. Через якийсь там час народився у неї син. І назвали вони його Котигорошко. Росте та й росте той син, як з води — не багато літ, а вже великий виріс.

От одного разу батько з сином копали колодязь та й докопались до величезного каменя. Батько побіг кликати людей, щоб допомогли той камінь викинути.

Поки ходив, то Котигорошко узяв та й викинув.

Приходять люди, як глянули — аж поторопіли...

Злякались, що в нього така сила, та й хотіли його вбити. А він підкинув того каменя вгору та й підхопив, — люди й повтікали.

От копають далі та й докопалися до великого шматка заліза. Витяг його Котигорошко та й сховав.

А то якось раз він і питається в батька, в матері:

— Десь повинні, — каже, — бути в мене брати й сестра.

— Е-е, — кажуть, — синку, була в тебе й сестра, і шестеро братів, та таке й таке їм трапилось.

— Ну, — каже він, — то піду ж я їх шукати.

Батько й мати умовляють:

— Не йди, сину: шестеро пішло, та загинуло, а то ти один!

— Ні, таки піду! Як же таки свою кров та не визволити?

Узяв те залізо, що викопав, та й поніс до коваля.

— Скуй, — каже, — мені булаву, та велику!

Як почав коваль кувати, то скував таку булаву, що насилу з кузні винесли.

Узяв Котигорошко ту булаву, кинув угору та й каже до батька:

— Ляжу я спати, а ви мене збудіть, як летітиме булава через дванадцять діб.

Та й ліг...

На тринадцяту добу гуде та булава! Збудив його батько, він схопився, підставив пальця, булава як ударилась об нього — так і розскочилася надвоє.

Він і каже:

— Ні, з цею булавою не можна йти шукати братів та сестру, — треба скувати другу.

Поніс її знов до коваля.

— На, — каже, — перекуй, щоб була по мені!

Викував коваль ще більшу. Котигорошко й ту шпурнув угору й ліг знову на дванадцять діб спати. На тринадцяту добу летить та булава назад, реве — аж земля дрижить. Збудили Котигорошка, він схопився, підставив пальця — булава як ударилась об нього, тільки трошки зігнулася.

— Ну, з цею булавою можна вже й шукати братів та сестру. Печіть, мамо буханці та сушіть сухарці — піду.

Узяв ту булаву, узяв буханців та сухарців у торбу, попрощався та й пішов. От зайшов у ліс. Іде тим лісом, іде, аж приходить до змієвого двора. Увіходить у двір, тоді в будинок, а змія нема — сама сестра вдома.

— Здорова була, дівчино!

— Здоров був, парубче! Чого ти сюди зайшов: прилетить змій, то він тебе з'їсть!

— Отже, може, й не з'їсть! А ти ж хто така?

— Я була одна дочка в батька, в матері, і змій мене вкрав, а шестеро братів пішли визволяти та й загинули.

— Де ж вони? — питається Котигорошко.

— Закинув їх змій до темниці, та й не знаю, чи ще живі, чи, може, вже й на попілець потрухли.

— Я тебе визволю! — каже Котигорошко.

— Де тобі визволити? Шестеро не визволило, а то б ти сам!

— Дарма! — відказує Котигорошко.

Та й сів на вікні, дожидається.

Коли це летить змій. Прилетів, та тільки в хату — зараз:

— Ге, — каже, — людським духом пахне!

— Де б то не пахло, — відказує Котигорошко, — коли я прийшов.

— Агов, хлопче, а чого тобі треба? Битися чи миритися?

— Де ж то вже миритися — битися! — каже Котигорошко.

— Ходім же на залізний тік!

— Ходім!

Прийшли. Змій і каже:

— Бий ти!

— Ні, — каже Котигорошко, — бий ти спочатку!

От змій як ударив його, так по кісточки і ввігнав у залізний тік. Вирвав ноги Котигорошко, як махнув булавою, як ударив змія — ввігнав його в залізний тік по коліна. Вирвався змій, ударив Котигорошка — і того по коліна ввігнав. Ударив Котигорошко вдруге — по пояс змія загнав у тік, ударив утретє — зовсім убив.

Пішов тоді в льохи-темниці глибокі, відімкнув своїх братів, а вони тільки-тільки що живі. Забрав їх, тоді забрав сестру і все золото та срібло, що було в змія, та й пішли додому.

От ідуть, а він їм і не признається, що він їхній брат.

Перейшли так скількись дороги, сіли під дубом спочивати. Котигорошко притомився після того бою та й заснув.

А ті шестеро братів і радяться:

— Будуть з нас люди сміятися, що ми шестеро змія не подужали, а він сам убив. Та й добро змієве він собі все забере.

Радились-радились та й нарадились: треба прив'язати його добре ликом до дуба, щоб не вирвався, — тут його звір і розірве.

Як радились, так і зробили: прив'язали та й пішли собі.

А Котигорошко спить і не чує того. Спав день, спав ніч, прокидається — прив'язаний. Він як рвонувся — так того дуба й вивернув із корінням.

От узяв його на плечі та й поніс додому. Підходить до хати, аж чує: брати вже прийшли та й розпитуються в матері:

— А що, мамо, чи в вас ще були діти?

— Та як же? Син Котигорошко був та вас пішов визволяти.

Вони тоді:

— Оце ж ми його прив'язали — треба бігти та одв'язати.

А Котигорошко як пошпурить тим дубом у хату — замалим хати не розвалив.

— Зоставайтеся собі з Богом, коли ви такі! — каже. — Піду я в світ!

Та й пішов знову, на плечі булаву узявши.

Іде собі та й іде, коли дивиться — відтіль гора і відсіль гора, а між ними чоловік руками й ногами в ті гори вперся та й розпихає їх.

— Боже помагай!

— Дай, Боже, здоров'я!

— А що ти, чоловіче, робиш?

— Гори розпихаю, щоб шлях був.

— А куди йдеш? — питає Котигорошко.

— Щастя шукати.

— Ну, то й я туди. А як звешся?

— Вернигора. А ти?

— Котигорошко. Ходімо разом!

— Ходім!

Пішли вони. Ідуть, коли бачать — чоловік серед лісу як махне рукою, так дуби й вивертає з корінням.

— Боже помагай!

— Дай, Боже, здоров'я!

— А що ти, чоловіче, робиш?

— Дерева вивертаю, щоб іти просторіше.

— А куди йдеш?

— Щастя шукати.

— Ну, то й ми туди. А як звешся?

— Вернидуб. А ви?

— Котигорошко та Вернигора. Ходімо разом!

— Ходім!

Пішли втрьох. Ідуть, коли бачать — чоловік із здоровенними вусами сидить над річкою: як покрутить вусом — так вода й розступається, по дну можна перейти.

— Боже помагай! — кажуть.

— Дай, Боже, здоров'я!

— А що ти, чоловіче, робиш?

— Та воду відвертаю, щоб річку перейти.
— А куди йдеш?
— Щастя шукати.
— Ну, то й ми туди. А як звешся?
— Крутивус. А ви?
— Котигорошко, Вернигора та Вернидуб. Ходімо разом!

Пішли. І так їм добре йти: де гора на дорозі, то Вернигора її перекине, де ліс — Вернидуб виверне; де річка — Крутивус воду відверне.

От зайшли вони у великий ліс, коли бачать — у лісі хатка. Увійшли — нікого нема.

— Отут і заночуємо, — кажуть.

Переночували, а на другий день каже Котигорошко:

— Ти, Вернигоро, зоставайся дома та вари їсти, а ми втрьох підемо на полювання.

Пішли вони, а Вернигора наварив їсти та й ліг спочивати.

Коли хтось стукає в двері: відчини!

— Не великий пан, відчиниш і сам, — каже Вернигора.

Двері відчинилися, та й знову хтось кричить:

— Пересади через поріг!

— Не великий пан, перелізеш і сам.

Коли влазить дідок маленький, а борода на сажень волочиться. Як ухопив Вернигору за чуба, та й почепив його на гвіздок на стіну. А сам усе, що було наварене, виїв, випив, у Вернигори із спини ремінь шкіри видрав та й подався.

Вернигора крутивсь-крутивсь, якось зірвався з гвіздка, кинувся знову варити. Поки товариші поприходили, уже й доварює:

— А що це ти з обідом припізнився?

— Та задрімав, — каже, — трохи...

Наїлися та й полягали спати. На другий день Котигорошко й каже:

— Ну, тепер ти, Вернидубе, зоставайся, а ми підемо на полювання.

Пішли вони, а Вернидуб наварив їсти та й ліг спочивати.

Аж хтось стукає в двері: відчини!

— Не великий пан, відчиниш і сам.

— Пересади через поріг!

— Не великий пан, перелізеш і сам.

Коли лізе дідок маленький, а борода на сажень волочиться.

Як ухопив Вернидуба за чуба, та й почепив на гвіздок. А сам усе, що було наварене, виїв, випив, у Вернидуба із спини ремінь шкіри видрав та й подався...

Вернидуб борсався-борсався, якось уже там з гвіздка зірвався та й ну швидше обід варити. Коли це приходить товариство:

— А що це ти з обідом припізнився?

— Та задрімав, — каже, — трохи...

А Вернигора вже й мовчить: здогадався, що воно було.

На третій день зостався Крутивус, — і з ним те саме.

Каже Котигорошко:

— Ну, та й ліниві ж ви обід варити. Уже ж завтра ви всі йдіть на полювання, а я зостануся вдома.

На другий день ті троє йдуть на полювання, а Котигорошко вдома зостається. От наварив він їсти й ліг спочивати. Аж грюкає хтось у двері:

— Відчини!

— Стривай, відчиню, — каже Котигорошко.

Відчинив двері, — аж там дідок маленький, а борода на сажень волочиться.

— Пересади через поріг!

Узяв Котигорошко, пересадив. Коли той пнеться до нього, пнеться...

— А чого тобі? — питає Котигорошко.

— А ось побачиш чого, — каже дідок.

Доп'явся до чуба та тільки хотів ухопити, а Котигорошко:

— То ти такий!

Та й собі — хап його за бороду! Схопив сокиру, потяг його в ліс, розколов дуба, заклав у розколину дідову бороду і защикнув її там.

— Коли ти, — каже, — такий, дідусю, що зараз до чуба берешся, то посидь собі тут, я знову сюди прийду.

Приходить він у хату, — вже й товариство поприходило.

— А що обід?

— Давно впрів.

Пообідали. Котигорошко й каже:

— А ходіть лишень, я вам таке диво покажу, що ну!

Приходять до дуба, коли ні дідка, ні дуба немає: вивернув дідок дуба з коренем та й потяг за собою. Тоді Котигорошко розказав товаришам, що йому було, а ті вже й про своє призналися, як їх дідок за чуба чіпляв та ременя зі спини драв.

— Е-е, — каже Котигорошко, — коли він такий, то ходім його шукати.

А де дідок того дуба тяг, то там і знати, що волочено. Вони тим слідом і йдуть. І так дійшли аж до глибокої ями, що й дна не видно.

Котигорошко й каже:

— Лізь туди, Вернигоро!

— А цур йому!

— Тоді ти, Вернидубе!

Не схотів і Вернидуб, не схотів і Крутивус.

— Коли ж так, — каже Котигорошко, — полізу я сам.

Наплели вони шнурів, намотав Котигорошко на руку кінець та й каже:

— Спускайте!

Почали вони його спускати, довго спускали, таки сягнули до дна, аж на інший світ. Пішов Котигорошко тим світом ходити, аж дивиться: стоїть палац великий. Він увійшов у той палац, а там усе так і сяє золотом та коштовним камінням. Іде він покоями, аж вибігає йому назустріч королівна — така гарна, що й у світі кращої немає.

— Ой, — каже, — чоловіче добрий, чого ти сюди зайшов?

— Та я, — каже Котигорошко, — шукаю дідка маленького, що йому борода на сажень волочиться.

— Е-е, — каже вона, — дідок бороду з дуба визволяє. Не йди до нього, він тебе вб'є, бо вже багато людей повбивав.

— Не вб'є! — каже Котигорошко. — То ж я йому бороду защемив. А ти чого тут живеш?

— Та мене, — каже королівна, — цей дідок украв і в неволі держить.

— Ну, то я тебе визволю. Веди мене до нього!

Вона й повела. Коли справді: стоїть дідок і вже бороду визволив з дуба. Як побачив він Котигорошка, то й каже:

— А чого ти прийшов? Битися чи миритися?

— Де вже, — каже Котигорошко, — миритися? Битися!

От почали вони битися. Бились, бились, і таки вбив Котигорошко дідка своєю булавою. Тоді вдвох із королівною забрали в три мішки усе золото й дороге каміння та й пішли до тієї ями, якою він спускався.

— Агов, побратими, чи ви ще є? — гукає.

— Є!

Він прив'язав до мотуза один мішок та й сіпнув, щоб тягли:

— Це ваше.

Витягли, спустили знову мотузку. Він прив'язав другий мішок:

— І це ваше.

І третій їм віддав — усе, що добув. Тоді прив'язав до мотуза королівну.

— А це — моє, — каже.

Витягли ті троє королівну, а далі вже й Котигорошка треба тягти.

Вони й роздумали:

— Нащо будемо його тягти? Нехай лучче й королівна нам дістанеться. Підтягнім його вгору та й пустимо, — він упаде та й уб'ється.

А Котигорошко й догадався, що вони лихе надумали, — узяв прив'язав до мотуза каменюку та й гукає:

— Тягніть мене!

Вони підтягли високо, а тоді й пустили вниз — камінь тільки гуп!

— Ну, — каже Котигорошко, — добрі ж і ви!

Пішов він підземним світом. Іде та й іде, коли насунули хмари, та як уперіщить дощ із градом. Він і заховався під дубом.

Коли чує, — на дубі пищать грифенята в гнізді. Він заліз на дуба та й прикрив їх свитою.

Перейшов дощ, прилітає велика птиця гриф — тих грифенят батько. Побачив гриф, що діти вкриті, та й питає:

— Хто це вас накрив?

— Як не з'їси його, то скажемо.

— Ні, — каже, — не з'їм.

— Отам чоловік сидить під деревом, то він нас і накрив.

Гриф прилетів до Котигорошка та й каже:

— Кажи, що тобі треба: я тобі все дам, бо це вперше, що в мене діти зосталися живі, а то все я полечу, а тут піде дощ та град — вони в гнізді й заллються.

— Віднеси мене, — каже Котигорошко, — на той світ.

— Ну, добру ти мені загадку загадав. Та дарма — треба летіти. Візьмемо з собою шість кадовбів м'яса та шість кадовбів води, то як летітиму та поверну до тебе голову направо, то ти мені і вкинеш в рот шматок м'яса, а як поверну наліво, то даси трохи води, а то ж я не долечу й упаду.

Взяли вони шість кадовбів м'яса та шість кадовбів води, сів Котигорошко на грифа, й полетіли. Летять та й летять: як поверне гриф голову направо, то Котигорошко вкине йому в рот шматок м'яса, а як наліво — дасть йому трохи води. Довго летіли, от-от уже долітають до цього світу.

Коли це гриф повертає голову направо, а в кадовбах і шматочка м'яса нема. Узяв Котигорошко, відрізав у себе литку та й кинув грифові в рот.

Вилетів гриф нагору й питається:

— Чого це ти мені такого доброго м'яса дав аж наприкінці?

Котигорошко показав на свою ногу.

— От чого, — каже.

Тоді гриф відригнув литку, полетів, приніс цілющої води: як притулив та покропив тією водою, литка знову й приросла.

Гриф повернувся додому, а Котигорошко пішов шукати своїх товаришів. А вони вже подалися туди, де тієї королівни батько. Там у нього живуть і сваряться поміж собою: кожен хоче з королівною оженитися, то й не помиряться.

Коли це приходить Котигорошко. Вони полякалися та й повтікали світ за очі. А Котигорошко одружився з тією королівною та й живуть собі в добрі та злагоді аж донині.

ЗМІСТ

У ТОМІ ПЕРШОМУ:

Курочка ряба; Рукавичка; Котик та півник; Івасик-Телесик; Голе телятко*; Лисичка та журавель; Солом'яний бичок; Кирило Кожум'яка; Сестричка та її братик золотий баранчик*; Кривенька качечка; Ріпка; Лисичка-сестричка і вовк-панібрат; Як Іван гуси ділив*; Циган-мандрівник*; Золотий черевичок; Три бажання; Лисичка-сестричка; Пан Коцький; Розум і Щастя*; Три брати; Вовк, собака та кіт; Про мудрого хлопця; Як панок балакав по-німецьки; Три золотокучеряві княжичі*; Як дурня женили*; Бух Копитович*; Сірко; Змій; Про вченого бика*; Вовк-колядник*; Залізноноса босорканя*; Мішок глини*; Язиката Хвеська; Ох; Як Бог людям і тваринам ділив літа; Козак Мамарига*; Ілля Муромець*; Яйце-райце.

Казки, позначені зірочкою, подано в літературному опрацюванні Івана Малковича.